朝日新聞出版

「悪の枢軸」イランの正体

核・監視・強権——
八〇〇日の現場取材

飯島健太

序章

イランは「悪」なのか

2022年10月2日、テヘラン北部にある幹線道路には、ヒジャブを脱いで手に持ち、
抗議の意志を示す女性6人の姿があった

時計の針は午後六時を指していた。窓の外は薄闇が広がり、街灯の白い光が路地裏の狭い道路をうっすら照らしている。地下一階の駐車場に下りていき、停めてあったトヨタの四駆に乗って外に出た。

十分後、差し掛かった片側二～三車線の幹線道路はいつもより渋滞していて、前後の車は張り付くようにゆっくり走っている。

その時、車のヘッドライトに女性の姿が浮かんだ。反対側の車線を仕切る、わずかな段差の中央分離帯に立っている。ぶつかりそうになりながら横目で数えると、六人いた。十代後半か、二十代前半の学生のように見える。

女性たちはそれぞれの手に黒や白、緑や赤の柄のあるスカーフのような布を持って上下や左右に大きく振り、こちらに向かって何かアピールしていた。

そこは、抗議デモの現場だった。

私はこの時、朝日新聞社の海外特派員として中東イランの首都テヘランで生活していた。現地で取材するようになり、まもなく二年を迎える頃だ。

抗議デモはなぜ起きたのか。どうしてたくさんの人たちがデモに参加するのか。そうした人びとの声に対し、イランという国家はどのように応じたのか。

こうしたデモをめぐる一連の動きにはイランで生じている様々な問題が凝縮されていた。

女性、命、自由

抗議デモが起こったのは、ある事件がきっかけだ。

二〇二二年九月十三日、二十二歳のマフサ・アミニが警察に逮捕された。彼女は法律に違反してヒジャブと呼ばれる布を頭部に着けず、髪の毛を隠していなかったと疑われたのだ。

この法律は現代のイランを映し出している。一九二五年から続いていた王制が一九七九年の革命で倒されたあと、イランではイスラム法学者が国のトップとして統治する仕組みができた。イスラム革命体制のはじまりである。

それ以来、社会はイスラムという宗教の価値観に基づいて築かれてきた。そうしたなか、一九八三年に制定された法律によって、女性たちは公の場で髪の毛をヒジャブで隠す義務を課されることになっていた。

自由や民主主義という価値観に照らすと、イランの女性たちはヒジャブの着用を強制されているように見える。このため、ヒジャブは女性を抑圧する象徴と捉えられることがある。

ただ、アミニの事件は「抑圧」という次元では済まなかった。彼女は逮捕されたあとに連れて行かれた警察署で急に意識を失って倒れたとされる。そして、三日後の九月十六日に搬送先の病院で死亡したというのだ。

アミニは警察官に暴行され、死亡したのではないか——。こうした疑念が一般の人びとの間に浮かび、翌十七日にアミニの故郷である北西部クルディスタン州で営まれた葬儀は、参列者による抗議デモに一変した。その後、デモの動きは三つのことばとともに国内全域へ瞬く間に広がっていった。

女性、命、自由——。

イランの女性たちはどれほど自由を奪われ、命さえも軽んじられてきたか。アミニの死を機に可視化されたのは、イランで差別的な扱いを受け、息の詰まる暮らしを強いられてきた女性たちの現実だった。

私が路上に立つ女性六人を目撃したのはアミニの死亡から二週間が過ぎた時で、彼女たちが手にしていた布はヒジャブだったのだ。彼女たちは逮捕される危険を冒してまで、国側、とりわけ四十年以上続くイスラム革命体制そのものに対する怒りや不満を表していたのである。

この時期、私と同世代でデモに参加していた四十歳の女性は心痛な顔で言った。

「いまこそ、命をかけて変革を実現するしかないのです」

ところが、半年も経たないうちに結末を迎える。そこで見えたのは、イランという国家の実相だった。

それは、国民を武力によって押さえ付ける姿である。

イラン=悪の国?

当時、私は現地で取材した内容に基づき、新聞の紙面やデジタルといった従来の枠内で記事を発表したほか、依頼を受けて雑誌に寄稿したり、テレビの報道番組に生出演したりする機会があった。イランで何が起きていて、それはなぜなのか。日本での関心の高まりを感じた。

この件によく見て取れるように、読者のみなさんがイランのニュースを見聞きするのは、何となく危なくて悪いことが起きている時ではないだろうか。もしくは、イランが陰で悪さをしていると感じる場面かもしれない。最近も国際情勢が報道されるなかで、なぜかイランに注目が集まっていると感じたことはあるはずだ。

二〇二二年二月にロシアがウクライナに対する侵略をはじめた。

二〇二三年十月には、パレスチナ自治区ガザ地区を実質的に支配するイスラム組織ハマスが、イスラエルに攻撃を仕掛けた。

それぞれは関連のない別々の話題だったが、いずれもイランの名が取りざたされた。ロシア・ウクライナ戦争では、イランがロシアに無人航空機（ドローン）を提供し、ウクライナへの攻撃に使われていると疑われている。イスラエルとハマスの戦闘では、イランによるハマスの支援が指摘されている。さらに、「親イラン勢力」と呼ばれる、イスラエルと敵対する中東各地の組織に警戒の目が向けられている。

イランは私たちのよく見えないところでひどいことをやっている——。そういう印象が広がるのには十分な情報だった。

ただ、イランの名はニュースで出ても断片的で、一時的に終わることが多い。このため、イランが話題に上がった背景や事情を深く考えることは少ない。そして「イランはやはり危なくて悪さをする国」という印象が残ったあと、忘れた頃になって同じようなことが再び起きて改めて注目する。

そういうことが繰り返されてきていると、私は考えている。

そのはじまりは二十年余り前にあったと思う。わずか一言が、イランに向けられる「悪」の印象を世界に強く刻んだのである。

二〇〇一年九月十一日、米国で同時多発テロが起きた。そして、二〇〇二年一月二十九日に大統領のジョージ・W・ブッシュが一般教書演説で、イランをイラクや北朝鮮とまとめてこう呼んだのである。

「悪の枢軸」

ブッシュによると、理由はこうだ。

「イランは選挙で選ばれてもいない少数の権力者が、自由を求める国民を抑圧している。一方で、積極的に大量破壊兵器を追い求めていて、テロを輸出している」

そのうえで、イランはイラクや北朝鮮とともに世界の平和を脅かす「悪の枢軸」を構成していると訴えたのだ。

米国の国内では党派を問わず、イランは「敵」であり、「ならず者国家」や「テロ支援国家」と見なされることがある。イランのイスラム革命体制を潰したいという意見もある。また、米国と友好な関係を持つイスラエルはイランと対立していて、イランを脅威と見なしている。米政界に影響力を持つ「イスラエル・ロビー」のような政治団体の存在も大きい。

「悪」と断じることは、こうした「反イラン」の国や人びとの声に応じることになった。そして、イランに非難の声を浴びせて圧力をかけることは「正義」になったのだ。

一方、イランの立場で見ると、「悪の枢軸」は言いがかりに過ぎなかった。イランはこの時、米国との関係を改善しようと動いていて、米国が九・一一事件のあとに掲げた「テロとの戦い」には少なからず協力していたのである。イラン側のこうした事情は結局のところ、無視されることになり、米国に裏切られたという憎悪に繋がっていった。

二〇〇三年三月、米国はイラクへの攻撃に踏み切った。イラク戦争である。米国は侵攻したあとまもなく、サダム・フセイン政権を崩壊させた。

そうしたなか、イラクと同じ「悪の枢軸」として、イランも米国の標的にされるに違いない、というイメージが世界中に広められたのだ。

イランという国家の「悪」の実相に迫る

九・一一からイラク戦争の開戦までの時期、私は高校二〜三年生だった。当時、国際ニュースに対する関心は薄く、確かな理由もなくイランを「悪」だと思っていた一人だ。しかし、そうした漠然とした印象は現地を訪れることで揺さぶられた。

二〇〇四年二月、十九歳で大学一年生になっていた私は、所属していたレスリング部のコーチから海外遠征を打診された。行き先のイランはレスリングが盛んで、数多くの五輪メダリストを輩出している。私としては海外、しかも強豪国の選手と戦えると、気持ちが高ぶった。

ただ、両親は心配した。わざわざ危険な所に行く必要はないだろうと思ったのである。おそらく他の多くの人たちと同じように、イランを安全な国だとは考えていなかったのだ。一九八〇〜八八年のイラン・イラク戦争の記憶がまだ濃かったうえ、イランが「悪の枢軸」と呼ばれてわずか二年、米国がイラク戦争をはじめてまだ一年も経っていない時でもあった。

それでも私は、貴重な機会を逃したくない一心で遠征に出発し、首都テヘランで一カ月間、過ごすことになった。

地元の道場へ稽古に出かける際に見かけた街中は、行き交う人や車で活気にあふれていた。稽古を終えてバザール（市場）に立ち寄り、特産品のペルシャ絨毯《じゅうたん》やピスタチオを見ていると、イラン人たちに何度も声をかけられた。

「日本人ですか？　私、行ったことあるよ」

日本で暮らしたことのある人たちが何人もいて、いかに日本が豊かで優れた国であり、人びとは勤勉で優しかったか、流れるような日本語で思い出を語りはじめるのだ。一九九〇年代に出稼ぎの労働者として日本でしばらく暮らしたあと、イランに戻った三十〜五十代ぐらいの男性たちの存在を知った。

私が抱いていた「悪」の印象は無意識のうちにすり込まれた一面的なものだったのかもしれないと、この時は感じた。

様々な現場に行き、色々な人たちに出会って話を聞く。そして、印象や思い込みとは違った新たな発見をする。イランの経験からそういったおもしろみを感じ取った私は、記者を目指すことにした。

二〇〇七年四月に朝日新聞社に入社したあと、奈良県や香川県、大阪本社の社会部で事件や自然災害を主に取材した。

二〇一七年八月から一年間は留学の機会を得て、中東研究で世界的に有名だと聞いた英国のロンドン大学東洋アフリカ学院（ＳＯＡＳ）に進み、国際政治学修士課程に在籍した。「中東国際政治学」という科目を迷わず選び、修士論文では「悪の枢軸」に関する問題を議論の導入にした。ただ、文献を元に論文を書いたため、現地で調査できなかったことは心残りだった。

しかしその後、希望していたとおりに、二〇二〇年四月の人事異動でテヘラン特派員となった。

新型コロナウイルスの影響で出国は遅れ、二〇二〇年十月末、現地に赴任した。テヘラン郊外にあるイマーム・ホメイニ国際空港に到着し、航空機から降りてまず感じたのは懐かしさである。ガソリンと砂が混じった臭いが漂っていて、十九歳の時に嗅いだ記憶が蘇《よみがえ》ってきた。感慨を覚えつつ、多くの記事を書こうと心に決めた。

目標は、イランという国家の「悪」の実相に迫ることである。ただ、この時はまだ、イランで新聞記者として働く厳しさを分かっていなかった。

本書は、私がイランで過ごした八〇〇日間の記録である。

第一章では、米・イランの間で「開戦前夜」と言われた緊迫について振り返る。きっかけは米国がイランの軍人を暗殺した事件にあり、第二章ではその軍人の素顔に迫った。また、米国が殺害の根拠として「自衛権の行使」を主張していることに対し、異論があることも検討した。

こうした米国の振る舞いはイランで反米感情を強め、二〇二一年六月にあった大統領選の結果に作用する。新しく大統領になった人物像を第三章で探り、多くの人びとに恐怖を抱かれていることに着目した。新大統領が反米の強硬派だったことから、米・イランの関係は一気に悪化する。とりわけ第四章で見るように、イランの核をめぐる問題は余計に複雑なものになった。

第五章では私の実体験も交えて、イランの核問題がもたらす経済制裁の悪影響について焦点を当てた。イラン社会はただでさえ苦しい状況にあるなか、第六章で触れるように新たな難題によって苦悩を深めている。そうした苦境は一般の人たちが怒りや不満を募らせる原因にもなっている。そして、そのような負の感情がついに吹き出し、第七章で記録する抗議デモへと繋がっていく。そこで、イランの実相を見ることになる――。

私はイランの公用語ペルシャ語を理解できず、研究者や専門家でもない。読者のみなさんも多くは、イランがニュースになると気にはなるものの、以前の私と同じように何となく「悪」の印象を抱いているのだろうと想像している。

私は現地で生活しながら取材を重ねていくうちに、イランに対する単調なイメージが揺れ動いていった。

そうした歩みをつづることは、イランの話題を見聞きした時、これまで当たり前だと思い込んでいた「常識」を疑う視点から、イランはもとより中東や国際情勢を読み解く一助になると信じている。

本当の「悪」とは何か、そして誰なのか、一緒に考えていきたい。

目次

原則として、敬称は省略しました。
肩書・年齢・組織名等は執筆当時のものです。

近年におけるイラン・米国の歴代政権と主な出来事

年月	最高指導者	政権（イラン）	イランの動き	米国の動き	政権（米国）
1951年4月		モサデグ	モサデグが首相に就任 石油国有化を決める		トルーマン
1953年8月				クーデターでモサデグ政権を追放	アイゼンハワー
1979年2月		バザルガン暫定	ホメイニ主導で革命成立		カーター
11月			米国大使館人質事件		
12月	ホメイニ	革命評議会	ホメイニが最高指導者に就任 イスラム体制が正式に成立		
1980年4月			国交断絶	国交断絶	
1989年6月		ムーサビ	ホメイニ死去 ハメネイが最高指導者に就任		ブッシュ（父）
8月		ラフサンジャニ	穏健派ラフサンジャニが大統領に就任		
1997年8月		ハタミ	改革派ハタミが大統領に就任		クリントン
2001年1月				共和党ブッシュが大統領に就任	ブッシュ（子）
9月				同時多発テロ	
2002年1月				イランを「悪の枢軸」と呼ぶ	
8月			核兵器開発疑惑が浮上		
2005年8月		アフマディネジャド	強硬派アフマディネジャドが大統領に就任		
2009年1月				民主党オバマが大統領に就任	オバマ
2013年8月			穏健派ロウハニが大統領に就任		

年月	イラン	米国
2015年7月	核合意の締結	
2016年1月	核合意の履行、米国による対イラン制裁緩和	
2017年1月		共和党トランプが大統領に就任
2018年5月		核合意から離脱
8月		イランへの制裁を再開
2019年5月	核開発の再開	
2020年1月	イラクの米軍基地を報復攻撃	ソレイマニ司令官を殺害
2021年1月		民主党バイデンが大統領に就任
4月	核合意をめぐる協議の開始	
6月	イランで大統領選、核協議が中断	
8月	強硬派ライシが大統領に就任	
11月	核協議が再開	
12月	核協議が中断	
2022年2月	ロシアがウクライナ侵略はじめる。核協議が再開	
3月	核協議が中断	
2024年11月		大統領選挙（予定）
2025年6月頃	大統領選挙（予定）	

ハメネイ

ロウハニ

ライシ

トランプ

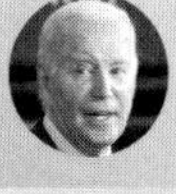
バイデン

?

イラン全図

★…本書で記者が訪れた所

テヘラン市図

朝日新聞テヘラン支局
バリアスル通り
デイ・ホスピタル
旧米国大使館
アザディ・タワー
テヘラン大学
ベヘシュテ・ザフラ共同墓地
イマーム・ホメイニ国際空港

第一章

反米国家

テヘランの共同墓地では新型コロナウイルスの感染による死者の急増もあり、
次々と新しい墓穴が掘られていた（2021年4月）

散り散りになったソレイマニ

イランに赴任して間もなく気づいたのは、米国と戦争をはじめるかもしれない緊張感だった。きっかけは、米軍がイランの軍人を暗殺したことにある。

名前はガセム・ソレイマニという。イランの軍事組織であるイスラム革命防衛隊に所属し、外国で作戦を担うコッズ部隊の司令官だった。

二〇二〇年一月三日午前〇時三十分頃、ソレイマニは訪問先であるイラクの首都バグダッドの国際空港に着いたあと、車で移動をはじめた。

その上空を飛んできたのは、米軍が遠隔で操作する無人航空機（ドローン）MQ-9リーパーである。そこからミサイルが放たれると、一瞬のうちにオレンジ色の炎と煙が闇夜を照らした。ソレイマニの体は散り散りになった。赤色の指輪をはめたままの指がかろうじて残され、本人の死亡が確認された。

その後、米国の国防総省は声明を出し、大統領のドナルド・トランプがソレイマニの殺害を指示したと明らかにした。米国が五日後に国連安全保障理事会に出した報告書で、ソレイマニの殺害は国連憲章で認められた「自衛権の行使」だったと述べ、次のように主張した。

「ここ数カ月の間に増大したイランやその支援組織による米国に対する攻撃に対応し、その後の攻撃を抑止するためだった」

この時、米側は確かに度重なる被害を受けていた。

前年の二〇一九年十二月二十七日にイラク北部のイラク軍基地が砲撃され、米国の民間人一人が死亡し、米兵四人が負傷した。同月二十九日に米軍が報復としてイラクの民兵組織のメンバー二十五人を殺害すると、同月三十一日にはバグダッドにある米国大使館が襲撃された。米政府はいずれの犯行についてもイラクの武装組織によるものであり、その背後にソレイマニがいたと見なしたのである。


米国にとってソレイマニは長らく諸悪の根源だった。米誌『ニューヨーカー』は二〇一三年九月に公開した記事で、以下の見出しでソレイマニを特集している。

影の司令官――。

イランは中東各地で勢力を広げていて、現地に駐留する米兵の殺害にも関与している。そして、その裏では必ずソレイマニが暗躍している。そのように論じる記事にはソレイマニの顔を描いたイラストも添えられていて、口を固く閉じて何かをにらみつける目をしている。

他にも、米国では複数のイラン専門家が著書でソレイマニを取り上げている。「スパイの親玉」だと呼ばれていると紹介されているほか、タイトルに「影の司令官」と付けた書籍もある。

米国で持たれていたソレイマニのイメージは正体不明で、影で何か悪さをしている不気味なものだったのだ。米国はようやく、そのような「悪党」を仕留めたことになった。

報復が生んだ新たな悲劇

一方、イランはソレイマニを殺害されて黙ってはいなかった。

二〇二〇年一月八日に日付が変わった頃、米国に対する報復に出た。イスラム革命防衛隊はソレイマニが殺害された時間に合わせ、米軍が駐留するイラクの基地二カ所に十発以上のミサイルを撃ち込んだのである。基地にいた米兵は直前に避難していて死者はいなかったものの、負傷者が出た。

報復は連鎖していくのかもしれない――。

戦争のはじまりを現実のものとして受け止められた瞬間だ。実際のところは、米国がイランにこれ以上の攻撃を加えることはなく、開戦には至らずに済むことになる。ところが、米・イランの間で高まった緊迫は新たな悲劇を生むことになった。

一月八日の午前四時すぎだった。一人の母親が、テヘラン郊外のイマーム・ホメイニ国際空港にいた。マフナズ・ハギガト（五六）である。

一週間前、次女のプーネが故郷のテヘランで、新郎のアラシュ・プールザラビと結婚式を挙げた。二人は学生時代に知り合ったあと、二年前から留学先のカナダで一緒に暮らしていた。母は娘たちを見送るため空港に来ていたのだ。

幼い頃のプーネは、道ばたでけがをした犬や猫を見つけると、家に連れて帰って手当てをする、優しさにあふれる子だった。大きくなると、パソコンの操作が得意になり、友人を家に招いて使い方を教えるほど詳しくなった。そして、カナダで進んだ大学ではコンピューター科学の修士課程に在籍し、超音波画像を使って肝臓の病気を調べる研究に打ち込んでいた。

今回の帰省中にプーネは、「先端的な技術で患者さんの命を助けられるんだよ、すごいでしょ」と目を輝かせて熱心に語り、研究の成果が論文としてそろそろ学術誌に載ると喜んでいた。命を大切にする娘らしい生き方を母として頼もしく思い、新婚生活を送るようになることにも幸せを感じていた。

「ママ、次はカナダで会おうね。待っているから」

「気をつけてね、プーネ。こんど、遊びに行くからね」

他愛のない、いつもどおりのやり取りを交わしたあと、娘に手を振って別れた。娘はカナダへの経由地となる、ウクライナの首都キーウ行きのウクライナ国際航空七五二便に乗った。

ちぎれて見つかった結婚祝いのネックレス

それから二時間ぐらいが過ぎた頃である。七五二便は離陸後、すぐに墜落した。乗客乗員の百七十六人全員の命が、一瞬にして失われた。

パイロットの操縦ミスか、機体の不具合か。いずれも違った。墜落は単なる事故によるものではなく、まもなく明らかにされた原因に衝撃が広がる。

イスラム革命防衛隊のミサイルによる墜落――。イラン側は当初、ミサイルによる撃墜を否定していたが結果的に認め、安全保障上の緊張が高まるなかで起きた「人的ミス」だと説明した。つまり、民間の旅客機を敵のミサイルと誤認した、というのだ。

七五二便の墜落直後に現場で撮影された写真が私の手元にある。機体は跡形もなくバラバラになり、乗客の荷物は地面に散らばっている様子が確認できる。

プーネのスマートフォンやパソコン、友人に見せると言っていたウェディングドレスといったものは、母親の元に戻ってこなかった。遺体の傷つき方が激しく、最期の姿も見られなかった。

二十五歳という余りにも早い、突然の死だった。

後日、ゴールドのネックレスがたった一つの娘の「形見」になった。親族が結婚祝いとして娘に贈っていたもので、墜落現場から見つけ出されていたらしい。傷つき、ちぎれていた。いまは、自宅の小箱にそっとしまってある。

進まない原因調査

撃墜事件から丸一年、プーネの一周忌に私はハギガトを取材することになった。場所は、テヘラン南部にある国内最大の共同墓地ベヘシュテ・ザフラだ。「ザフラの楽園」という意味になり、イスラム教の預言者ムハンマドの娘の名前がつけられている。

墓地は一九七〇年にできた。当初は広さ三百十二ヘクタールだったが次第に広げられ、いまでは倍近い敷地を有する。イランでは宗教上、亡きがらは土葬され、すでに百三十万人が埋葬されているという。

ハギガトの所に向かっている途中、ある区画の前で思わず車を止めた。茶色の土が平らに整地された場所に、数え切れないくらい多くの新しい墓穴が掘られていた。車を降りて近づいてみる。墓の深さは本来、一人分でいいはずだが、足元は地中に向かって奥深くまで掘られ、縦に三人分が入る造りになっていた。

地中に三段ベッドがはめ込まれたような異様さだ。ヒトがすっぽりと入る長方形の穴が整然とあたり一面に広がっている。死者の数が単なる数字ではないことが、胸に

2021年1月、マフナズ・ハギガト（写真上、中央左）はプーネの命日に墓参した。墓石にはプーネと夫が結婚式で撮影した記念写真が遺影として飾られていた

迫ってくる。

墓地の一角でプーネの法要が営まれた。母親のハギガトは頭からつま先まで黒の布で覆っていて、娘の名前が刻まれた白色の墓石のそばに座り込み、白いハンカチで何度も涙を拭いていた。

冷たい空気を射抜くような冬の日差しが墓石に反射している。そこに、ひときわ大きなハギガトの泣き声が響き渡る。二十人余りの参列者が見守るなか、彼女の背中を親族が優しく何度もなでていた。

参列者は墓石の上に、白と黄色の小さくて可愛らしいスイセンの花を供えていた。爽やかさを感じさせる強めの香りが、寒風に乗って漂ってくる。少し鼻にツンとくる匂いで、哀切な思いとともに記憶に刻まれる。

花々に囲まれて飾られているのは、故人の生前の姿を記録した写真だ。純白のウェディングドレスに身を包み、赤や黄色のブーケを左手に持っている。そして、右側に立つ新郎に寄り添い、幸せそうな笑顔をこちらに向けている。

ハギガトは娘の写真を見ていると、よくかけてくれたことばを思い出す。

「ママ、昨日という日はもう戻ってこないよ。今日という新しい日を生きなきゃダメだよ」

疲れることや落ち込むことがあっても、娘のことばで何度、前向きになれただろう。いまとなってはもう、娘の墓碑に触れることしかできない。

涙が、止まらない。

未来を断ち切られたこと、母国のミサイルによって命が奪われたことに、やり場のない怒りと悲しみがわき上がってくる。

二〇二三年四月、ウクライナ国際航空七五二便の撃墜事件をめぐる判決が出た。イランの裁判所は、革命防衛隊の司令官に禁錮十三年を言い渡した。判決によると、司令官は地対空ミサイル防衛システムを担当していたが、司令部など上層部の承認を得ずにミサイル二発を発射したという。

七五二便の行き先がウクライナの首都だったことから同国のほか、プーネが戻ろうとしたカナダなど、様々な国籍の人たちも命を落とした。ウクライナとカナダの両政府は原因調査をイラン側に求めているが、透明性はなく、十分に協力していないことを理由に非難している。また、遺族のなかには判決を受けて、裁判を「単なる見せ物だ」と批判する声が上がっている。

イラン側は、ミサイルが発射された当時の詳しい状況や経緯はもちろん、被告となった司令官については名前も年齢も公表していない。イランが寄り添おうとしているのは犠牲となった一般の人たちではなく、イスラム革命防衛隊のような国家にとって重要な組織なのかもしれない。

私がこの時に抱いた違和感は、あとになってイランという国家の実相として浮かび上がってくることになる。

追悼行事

米軍によるソレイマニの暗殺、イランによる報復攻撃、さらに民間旅客機の撃墜といった事態が立て続けに起こるなか、在テヘランの日本大使館は「最悪」を想定して対応を急いだ。

そのひとつが、イラン国外への退避だ。日本外務省によると、イランには二〇一九年十月の時点で六百十二人の日本人が暮らしていたが、緊迫の高まりを受けて退避する人たちが相次いだ。私が赴任した二〇二〇年十月までの一年間に在留邦人は二割以上、減っていた。現地の日本人外交官は言った。

「米国とイランの戦争という最悪の事態は避けられたが、同じような緊張がいつ、再び起こるのか、本当に分かりません」

イランは退避の可能性を常に考えなければならない危険な国だという意識が、私に植え付けられた。

こうした恐ろしさが現実味を帯びることがある。イランが米国に報復を誓う時である。

二〇二一年一月一日の金曜日、ソレイマニの死から一年を控えて追悼行事が営まれることになった。イスラム教シーア派を国教とするイランでは独自の暦が使われていて、新年は三月の春分の日に迎える。そのためこの日は元日の休みというわけではなく、いつもと変わらぬ一日だった。また、毎週金曜日は休日で、モスク（イスラム礼拝所）に行く日とされている。

追悼行事の会場はテヘラン中心部にある国立テヘラン大学で、場所はテニスコートが四面分くらい取れる野外の広場だった。屋根で覆われているものの、冷たい横風が吹き抜ける。特設された演台に向かってパイプ椅子が並べられ、二百人余りの参列者が座っていた。頭にターバンを巻いたイスラム聖職者の男性たちの他に、遺影を手にした人たちの姿も見える。

この広場は、ソレイマニの葬儀が営まれた所でもある。私が立っているあたりに、赤と白、緑のイラン国旗に包まれたソレイマニの棺が置かれ、その前で最高指導者アリ・ハメネイが涙で声を詰まらせながら哀悼の意を述べていた。

イスラム革命防衛隊

ソレイマニが所属したイスラム革命防衛隊は、イランで一九七九年二月の革命によって王制が倒されたあと、同年五月に創設された。革命防衛隊がつくられたのは、国王に従っていた国軍による反乱を防ぐ意味合いがあった。

さらに、軍事組織としての特徴は、イスラム革命防衛隊という正式名称によく表れている。「イラン」という国名は入っていないのだ。英文では「Islamic Revolutionary Guard Corps」、略してＩＲＧＣと呼ばれる。意味するところは、イランという一国にとどまらず、国境に関係なく広がるイスラムという宗教の価値観を重んじ、革命防衛隊が守るべき対象とするということだ。

革命防衛隊の最高指揮権は最高指導者にあり、ハメネイは一九九八年二月にソレイマニを司令官に任命していた。ソレイマニの棺を前にして涙を流すハメネイの姿は、愛する息子を失った父親のように映った。

追悼行事がはじまってまず演台に立ったのは、白い頭髪にひげをたくわえ、緑色の軍服を着た男性だった。ソレイマニの後任となった新しい司令官のイスマイル・ガーニである。ガーニは演説をはじめると、眉間に深いしわを寄せて力強くこう述べた。

「米国の抑圧下にある人たちに対する我々の支援は、ソレイマニ氏の死後も変わることは断じてない」

ここで言われた「米国の抑圧下にある人たち」は、米国から見るとソレイマニが「影の司令官」として暗躍し、支援してきた「親イラン勢力」と重なる。

この勢力はイラクやシリア、レバノン、パレスチナ自治区で活動している。革命防衛隊が影響力を広げてきた地域であり、そこにイエメンの反政府武装組織フーシが含まれることもある。

イランが築いたこうした勢力圏は、国教シーア派の名称と地図上の形から「シーア派の三日月地帯」と言われることもあるが、たとえばパレスチナ自治区ガザ地区を事実上、支配しているイスラム組織ハマスは同じイスラム教でもスンニ派が主体である。イランと他の勢力を「シーア派」で括ることは現状を正確に捉えられないうえ、無用な宗教対立を思い起こさせる恐れがあると考え、私は情勢を把握する際に宗派をあてはめないようにしている。

こういった勢力圏を築いたのはソレイマニの「功績」のひとつであり、新司令官のガーニは「親イラン勢力」に対する支援をこの先も続けるとあえてアピールしたのだ。

次に登壇したのは、司法府トップでイスラム法学者のエブラヒム・ライシだった。ライシはこの時すでに次の最高指導者として有力視されていて、私も名前を聞いたことはあった。この時、五カ月後に大統領選を控えていた。

ライシは丸首の白のワイシャツに法衣を羽織っていて、頭には黒色のターバンを乗せていた。ターバンの色が黒なのには理由があり、イスラム法学者のなかでも預言者ムハンマドの血筋を引くことを示している。一方、預言者の血筋とは関係のない場合、同じイスラム法学者でもターバンは白を着ける。

ライシは演台の前に立つと怒鳴るような声を上げた。初めて聞く肉声はその後も耳に残る、甲高い特徴的なものだった。

「ソレイマニ氏の暗殺に関わった犯罪者に、安全な場所はない」

「犯罪者」はソレイマニの殺害を指示したトランプのほか米側の関係者であり、将来の報復を誓ったことばだと考えられた。

「開戦前夜」はひとまず過ぎ去っただけであり、緊迫はいつ、再び訪れてもおかしくなかった。

「親イラン勢力」を育てた理由

米国がソレイマニを殺害した理由は、中東各地で「親イラン勢力」を育て、米側に害悪をもたらす根源と考えたからだ。しかし、イラン側は、なぜそうした勢力を広げることになったのか。

取材を依頼したのは、テヘラン大学の法学・政治学部の教授サデグ・ジバキャランである。教授はイラン国内では珍しく、国側に対しても批判的な論評で知られていることから、冷静な意見を期待した。首都郊外の山あいにある教授の邸宅に招かれた。

イランが中東各地で親しい勢力を持つようになった起点は、二〇〇一年九月十一日に米国で起きた同時多発テロ事件だと教授は考えていた。

翌十月、米国は、テロ事件を実行した国際テロ組織アルカイダの指導者オサマ・ビン・ラディンをかくまっていることを理由に、イスラム主義勢力タリバンが権力を握っていたアフガニスタンに軍事侵攻した。その後、二〇〇二年一月に大統領のジョージ・W・ブッシュが演説で、イランをイラクや北朝鮮と並べて「悪の枢軸」と形容した。そして、米国は二〇〇三年三月にイラクに侵攻し、サダム・フセイン政権を倒した。

イランはアフガニスタンとは東側、イラクとは西側でそれぞれ国境を接している。

「イランの両隣に米軍が攻め込み、どちらの政権も瞬時に倒された。そして、その後に米軍が駐留する形でイランに接近した。イラン国内では『米国は次に我々を攻撃するつもりだ』という深刻な受け止めが広がったのです」

米国に対する「脅威」の認識をイランが強めたのは、米軍はどんな理由を付けてでも侵攻してくる恐れが捨てきれないからでもある。

米国がイラク戦争に踏み切る際に大きな理由としたのは、フセイン政権が「大量破壊兵器を保有」していることだった。ところが、米軍が侵攻したあとにイラク国内を探し回っても、大量破壊兵器を見つけることはできなかった。情報の収集や分析、評価といった米国のインテリジェンスに誤りがあったのである。

そうした言動を見せる米軍に挟まれることになり、安全保障上の環境が急激に悪化したと考えたイランは、中東各地で主に武装勢力に対する支援を通じて、防衛力を強化することにかき立てられたのだと教授は言う。そこにあるのは、自分たちの領土の外側でまずは敵の攻撃を食い止める考えだ。


イランからすると「親イラン勢力」を育てることは自衛の手段を増やすことだった一方で、米国や近隣諸国といった外側から見ればイラン自体も「親イラン勢力」も「脅威」に映る。

こうした認識や構図が変わらない限り、開戦の恐れはくすぶり続けることになる。

第二章

ソレイマニの素顔

به شهر سردار دل‌ها
شهید سپهبد حاج قاسم سلیمانی
خوش آمدید
پایگاه مقاومت بسیج عاشورا
سعادت آباد همسنگر می پذیرد.

2020年12月、南東部ケルマン市に差し掛かる道路の脇には、
ソレイマニの写真とともに歓迎を意味する大きな看板が立てられていた

ソレイマニの足跡を辿る

イランのイスラム革命防衛隊で司令官だったガセム・ソレイマニとは何者だったのか。米国が見なすとおりの「悪党」だったのか。

ソレイマニに関する手がかりを集めてその素顔に迫り、事件が起きた経緯や背景を多角的に捉えられないだろうかと考えた。

ソレイマニの足跡を調べていると、生まれはイラン南東部ケルマン州にある村で、十代後半という多感な時期からしばらくの間は、州都ケルマン市で過ごしていたことが分かった。

二〇二〇年十二月、報道機関を管轄する文化・イスラム指導省から取材の許可を得られ、三泊四日の予定で現地に向かった。

首都テヘランから南東へ千キロ、トヨタの四駆で支局の事務所を出発した。片側二〜三車線の幹線道路を百キロ、二百キロと走り続ける。目的地は近づいているはずなのに、窓の外を流れていく光景は砂漠や荒野のままほとんど変わらず、灰色の砂とゴツゴツとした赤茶色の岩が広がっている。

中東の地域大国と呼ばれる、イランの大きさを実感した。イランの国土は日本より四・四倍の百六十五万平方キロメートルある。人口は近年増え続けていて、国連人口基金が発表した二〇二三年の世界人口白書では八千九百二十万人とされ、中東ではエジプトの次に多い。

「ようこそ、ソレイマニ司令官の心の街へ」

ケルマン市に差し掛かる道路の脇に横十メートル、縦三メートルはある大きな看板が目に入った。看板前の路上にはスニーカーを並べて売っている露天商の男性がいた。

街は標高が千七百メートル余りあり、砂漠や山々に囲まれている。古くからペルシャ絨毯づくりが盛んで、中心部のバザール（市場）では店主が威勢のいい声を上げて客を呼び込んでいた。歴史的なモスクがあり、観光客を魅了している。

私がまず向かったのは墓地だ。中心部から少し外れた岩山のふもとの小高い丘に、目的の共同墓地はあった。いくつもの墓石が並ぶ敷地内の一角に人だかりが見える。ざっと数えると、二百人はいる。すぐ近くにある建物の外壁には、鮮やかな青色のタイルを背景にした大きな肖像画が描かれていた。

ケルマン市の共同墓地にあるソレイマニの墓。絶えず参拝者たちが訪れていた

ソレイマニの墓碑には生誕と死亡の日がそれぞれ記され、「米国の大統領による指示で標的とされた」などと書かれている

ソレイマニである。白いひげを生やしたあごをやや左に引き、目はこちらを向いている。表情は少しだけ柔らかい印象を与える。墓石を囲む人たちの間をかき分けて前に進むと、透明なガラスで保護された真っ白な墓碑が足元に現れた。

「ガセム・ソレイマニ　一九五六年三月二十一日生　二〇二〇年一月三日殉教」

縦百四十センチ、横六十センチの墓碑には生年月日と命日がそれぞれ、緑と赤の字で刻まれていた（日付はイラン独自の暦で書かれていたが、本書では西暦に直した）。赤やピンク、白の花びらが供えられた碑文には、その最期についても書かれていた。

「米国の大統領による指示で、米国の中央軍のテロリスト部隊に標的とされた」

米大統領はドナルド・トランプ、中央軍は中東地域を管轄する米軍を意味している。イラン側から見ると、米国こそが「悪党」なのだ。

墓碑の前で目を閉じ、じっと祈りを捧げている人たちに声をかけた。その一人、モフタル・アガモラエー（六〇）はソレイマニの人柄をこう表現した。

「司令官は情熱的で優しい人間性の持ち主で、謙虚さもありました」

ソレイマニは生前も死後も、その生涯が地元メディアでよく取り上げられるが、批判的な内容は皆無である。だから、ソレイマニと同世代の彼のことばも、そうした「物語」に沿うものだと私は受け止めた。また、イラン軍に入隊して六年というシャハブ・ラジェジ（二六）はソレイマニを「英雄だ」と語った。

「司令官がイスラム国に立ち向かって下さったおかげでイランは攻め込まれず、占領されずに済んでいます」

過激派組織「イスラム国」（ＩＳ）が台頭したのは、二〇一一年三月にシリアで反政府運動が起き、その後に混乱が広がった時だ。ＩＳはシリアやイラクの各地で攻撃を繰り返して支配地域を広げていき、二〇一四年六月には「国家」をつくったと宣言した。イスラム教スンニ派のＩＳは、シーア派国家であるイランを敵視して攻め込むつもりだったのだ。

イランが選んだのはＩＳに対抗する道であり、シリアのバッシャール・アサド政権やイラク政府と連携した。この時のイラク政府は、米国による侵攻で崩壊したサダム・フセイン政権のあとにできたシーア派主体だった。こうした活動を率いてきたのがソレイマニであり、米軍に暗殺された場所がイラクだったのである。

民兵組織バシジとの遭遇

墓地で取材を終えたあと、その日はケルマン市内に宿泊し、翌日にソレイマニの生まれ故郷を目指すことにした。

ケルマン市からさらに南へ二百五十キロ。車内のダッシュボードに埋め込まれた標高計は最も高い所で二千七百五十メートルを示した。草木のない岩山をいくつも越えた先にガナト・マレク村はあった。

はるか遠くに山々を望む、のどかな村だ。平野を貫く一本道に沿って土壁の家々がぽつぽつ並んでいる。五十匹くらいの羊たちが群れになって「メー」と鳴き声を上げながら、車の前をゆっくり横切っていく。住民の多くは牛や羊を飼い、木の実を育てることを主な生業《なりわい》としているらしい。

村人を探して車を走らせていると、緩やかな坂を上った先に薄茶色の外壁のモスクが見えた。鮮やかな青色のタイルで彩られたドーム形の屋根が、カラッとした冬の青空に映えている。モスクを囲む塀にはソレイマニの肖像画が貼られていた。写真の彼は両手の小指を合わせた手のひらを上に向け、そこに顔を近づけるようにうつむいて目を閉じて祈っている。私がそこへ、カメラを向けていた時だ。

白色の四駆が近づいてきて、運転席から男が下りてきた。こちらに近づくなり、怒鳴るような口調で言った。

「こんなところで何やってんだ？　司令官のことを調べに来たのか？　なに、日本人？　日本人がここに来るなんて初めてじゃないか」

男は笑顔だが、その目は笑っているようには見えない。そして、すぐに血の気が引いた。男が乗ってきた車に目をやると、運転席側のドアに貼られている青地に黄色のエンブレムには、銃身を握った右手を突き上げたイラストが描かれていた。

イスラム革命防衛隊のマークである。

冷静さを失いつつあった私の首に、男はいきなり白地に黒のチェック柄の薄い布を巻いてきた。どこかに連れて行かれるのか。「ノー、ノー」と声を出して後ずさる私に、男は言った。

「そんなに驚くなよ。ギフトだ、お前にやるよ。とても便利だ」

なぜいきなり贈り物なのかよく分からないが、危険な目に遭うことはなさそうだ。男にとって日本人に接するのは珍しいことのようで、挨拶の代わりに「ギフト」を渡したかったようだった。

この布はクフィーヤと呼ばれ、アラブ人が頭にかぶる姿をニュースの映像で見たことがあった。イランでは最高指導者アリ・ハメネイが公の場に姿を見せる時、よく首に巻いている。また、革命防衛隊やその傘下の民兵組織バシジのメンバーが身につけ

ソレイマニの故郷ガナト・マレク村で声をかけてきたムハンマドと名乗る男

ムハンマドが乗ってきた車のドアにイスラム革命防衛隊のエンブレムが貼られていることに気づき、身を固くする記者

る姿もよく目にする。

男は、バシジの一員だったのである。四十二歳、ムハンマドと名乗った。黒くて濃いひげは青色のマスクからはみ出して頬全体に広がり、髪の毛との境目が分からない。水色と白のラインが入った紺地のチェック柄のシャツに、黒のジャンパーを羽織っている。

ひげや簡素な服装も、バシジによく見られる姿だった。


バシジは一九八〇年四月にできたボランティア組織で、イスラム革命防衛隊の傘下に入ったのは一九八一年一月だったとされる。ペルシャ語で「動員」を意味するバシジにはイスラム革命体制を守る中心的な役割があり、国内各地の大学をはじめとする教育界、産業界、政府機関、モスクなどに拠点を持ち、社会に広く行き渡っている。

とりわけその名を知らしめたのは、一九八八年まで八年続いたイラン・イラク戦争だ。米国や欧州各国の支援を受け、豊富な兵器や情報を持つイラクに対し、イランは一部の国からしか助けを得られずほとんど孤立し、苦境が続いた。

そこで、イランは人海戦術に出て、その前線にバシジが立つことになった。地雷が埋められた戦地に命がけで突撃していき、国軍や革命防衛隊が敵陣に攻め込む機会を切り開いたのだ。

革命防衛隊やバシジに詳しい米国海軍大学院の准教授、アフション・オストバルの著書によると、バシジの人数をイラン当局は一千五百万人とするが、実際は四百万人程度とみられるという。他方で、三十万〜四十万人と言われることもあり、実際の規模はよく分かっていない。

現在のバシジにとっての前線は、米国を批判する抗議活動や集会の場である。催し物が開かれる時、バシジのメンバーたちは自ら現場に赴くことはもちろん、他の人たちに声をかけて参加を促す。イランで開かれる反米集会を報じるニュースで、米国の国旗が燃やされる場面を目にすることがある。その場にいるのは大抵、バシジと考えてよい。「米国に死を！」と叫ぶのも、バシジが中心だ。

俺たちの基地

私のなかで恐ろしい印象だったバシジがいま、真横にいる。ムハンマドに促され、私は彼と肩を組んで写真を撮ることになった。写真を知人に見せて自慢したいのだと彼は言う。インスタグラムに投稿していいかと尋ねられた時は、さすがに断った。

一方、私が写真を撮っていたモスクについて彼は説明した。その場所はもともとソレイマニの生家があり、モスクはソレイマニが資金を出して建てられたというのだ。ムハンマドに話を聞いていると、ソレイマニについてもっと知ることができるかもしれない。質問を重ねようとする私に、こう言った。

「そんなに興味があるのなら、俺たちの基地を案内してやる。ついて来い」


ムハンマドの車についていくこと五分、荒野が広がる平地に着いた。そこに迷彩柄の服を着た十～四十代の男たち二十人がいた。彫りの深い顔立ちで、誰もがひげを生やしている。手にはハンマーやスコップが握られ、近くにはセメントを積んだ一輪車も見える。

一見して戦闘の準備をする工兵たちなのかと思ったが、実際は小屋を建てているらしい。ソレイマニが亡くなったいま、故郷の村が観光名所になることを見越して、訪問者向けの休息所をつくっているそうだ。

外壁の半分までセメントが塗られた小屋の中では、小学校の給食室で見るような大きな鍋があり、床に置かれた簡易なガスコンロの火にかけられていた。鍋の中を見る

ムハンマドに案内された「基地」では、男たちが訪問者向けの休息所を建設していた

と、骨付きの鶏モモ肉がトロトロになり、しみ出した肉汁が蛍光灯の光にキラキラ反射している。トマトと鶏肉の煮込み料理を作っているという。

鍋の様子を見つつ、内装を手がけていたヘシュマト・モハンマディ（四七）に話しかけた。ソレイマニについて聞くと、おでこに深く刻まれたしわを寄せて言った。

「戦略の立て方はもちろん、道徳的にも優れた人物で、俺はいつまでも司令官を愛している。司令官はイスラム国をやっつけて、俺たちの国を守ってくれたんだから」

ソレイマニが祖国をISの侵略から守ったという言い分に、もはや意外性はない。しかし、なぜソレイマニに対する思い入れがそれほどまでに強いのか尋ねた時、返ってきた次の一言には身を乗り出した。

「なぜかって、俺はソレイマニとともにISを相手に現地で戦ったんだ」

ISの脅威を前にしたソレイマニはシリアやイラクに足を運び、軍事訓練を通じて「兵士」の育成に力を入れた。さらに、イラン国内から現地に多くの「ボランティア」も送り込んだ。

この志願者たちは「聖廟の防衛者」と呼ばれていた。ISから守ろうとしたのは、イスラム教の預言者ムハンマドの孫娘ゼイナブの廟である。その廟はシリアにあり、シーア派の聖地として知られている。同じようにイラクでも、シーア派の歴代指導者が眠る廟を防衛した。

そのうちの一人が、目の前にいるモハンマディなのである。彼は三回にわたって計九カ月間、シリアとイラクに赴いたという。現地にはイラン人の他にイラク人やシリア人、シーア派もスンニ派もいたらしい。人種や宗派が違っても、同じ仲間としてソレイマニは接していた。

「俺たちと同じようにＩＳの脅威にさらされ、苦境を味わう仲間たちを救うんだ、とソレイマニ司令官は語ったんです。みんながソレイマニを信じてついていきました。それなのに、あんなむごい殺され方をするなんて……」

ソレイマニの最期を思い出した彼は右手を目に当て、大きな体を揺らして声を上げて泣いた。その姿は、まるで本当の父親を亡くした幼い子どものようだった。

一人の人間として存在していたソレイマニの姿が、私のなかで一気に浮かんだ。

英雄の素顔

　村人の繋がりで、ソレイマニと五十年来の友人というアクバル・マルキ（六〇）に会えることになった。マルキはひょろっとした細身の体に濃い青のシャツ、茶色の毛糸のベストを着ていた。彫りは深いがその奥の目はくりくりしていて、親しみやすさを感じさせる。

　マルキの自宅に招かれ、離れにあたる土壁の小屋に入る。六畳くらいの広さがあり、薄茶色や赤、青のかわいらしい柄物の絨毯の上に座るよう促すと、マルキは壁際にある小さなかまどでやかんに火をかけ、チャイと呼ばれる紅茶を淹れた。

　マルキの家の隣にソレイマニの生家があり、二人は同じ小学校に通っていたそうだ。子どもの頃から兄弟のように仲良く暮らしていたという。

「村のモスクを見たんですね？　実はね、ソレイマニが私たちのために建ててくれるってなった時、私も手伝ったんですよ。ほら、これを見て下さい。直筆サインの入った感謝状を彼に頂いたんです」

ソレイマニの50年来の友人であるアクバル・マルキはいまでも、二人で一緒に写った写真を大切に保存している

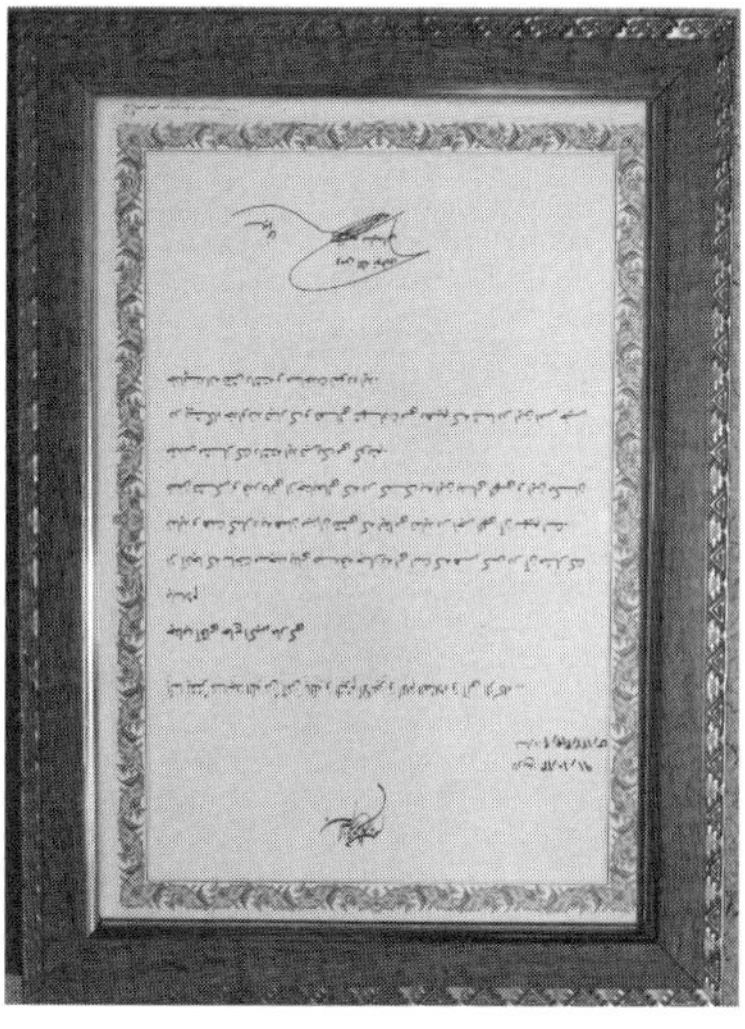

マルキはソレイマニから贈られた感謝状を額縁に入れて、壁に飾っていた

謝意のことばに署名が添えられた書状は、金色の装飾で縁取った木枠の額に入れられて、壁に掛けられていた。書状の横に貼られている一枚の色あせた写真が目に入った。二十代だろうか、若かりし頃のソレイマニが緑色の軍服を着て、積み上げられた毛布を背に座ってくつろいでいる様子が写っている。

「彼は本当に優しく、物静かな少年でしたね。大人になるにつれて子どもや老人を大切にするようになってね。ホント、真の英雄だったんですよ」

一九七五年、ソレイマニは地元の高校を卒業したあと、十八歳の時にケルマン水道局に就職した。同じケルマン市に住む従兄弟に連れられてモスクに行くことはあったが、宗教心が特別に強かったわけではないらしい。空手の道場に通うことには熱心だったようで、どこにでもいるようなふつうの若者像を思い浮かべることができる。ただ、二十歳前後のソレイマニが過ごした社会は、急激に変化していくまっただ中だった。

当時はまだ、王制の時代である。レザー・シャーが支配するパーレビ王朝が一九二五年につくられ、一九四一年にモハンマド・レザーが父親の跡を継いだ。国王は独裁化していた。一九五七年に秘密警察サヴァクが組織され、国王に背く人たちは社会から「抹殺」された。

また、国王は米国と深い関係を築いた。農地などの「改革」によって一般の人びとの間では混乱や格差が広がり、ソレイマニの家庭も金銭的に苦しかったとされる。一方で、王族や権力者たちの間では腐敗や汚職が広がっていた。国王が進めていた近代西洋化は、一般の暮らしのなかに染み渡っていたイスラムの価値観を取り除こうとすることでもあった。

それに対し、宗教界を中心に不満や危機感が広がり、「反国王」や「反米」の動きとして拡大していった。そして、カリスマ的な指導者として注目を浴びるようになったのが、一九〇二年生まれのイスラム法学者、ルーホッラー・ホメイニである。ホメイニは国王や米国を批判したという理由で逮捕されたあとに国外追放となり、一九六五年十月にイラクに追いやられた。

我が革命闘争の芽吹き

革命に向けて社会が動きはじめた一九七七年、ソレイマニは意識が変わる時を迎えたと伝えられている。国王を批判するイスラム聖職者の演説を聞いたとされ、ソレイマニはのちに地元メディアでこう語っている。

「私の革命闘争がはじまった瞬間でした」

時代や家庭の状況がソレイマニを「反国王」に向かわせたのだろうか。もしくは、革命体制の中枢にいる人物として過去の自分を美化する都合のいい話として彼が語ったのかもしれない。

一九七八年一月、国王側によってホメイニを中傷する記事がイランの主要紙に掲載されると、事態を大きく変えていく。イラン中部の宗教都市コムで、国王に対する抗議活動が起こった。これをきっかけとして、反国王の声は国内全体に広がっていった。

ホメイニはこうした動きの中心人物だと国王側に見なされてイラクからも追い出され、同年十月に仏パリ郊外のイラン人の家に移り住んだ。それでも、ホメイニは「反国王」や「反米」の声を上げ続けた。インターネットが一般に普及していなかった時代に重要だったのは、国際電話とカセットテープである。ホメイニが電話口で語った「反国王」の内容はテープに録音されてイラン国内で広められ、共感や支持を集めていった。

それは、大規模な抗議デモやストライキを巻き起こすことに繋がっていった。国王を倒して米国を追い出そうとする流れは、イランで段々と確実なものになっていったのだ。

一九七九年、イランは時代の転換期を迎える。一月十六日、パーレビ国王はとうとう事態を収拾できなくなり、「休暇」を理由に国外へ脱出した。二月一日、ホメイニがついにイランに戻った。空港には出迎えの支持者たちが集まり、最大で六百万人にのぼったとも言われる。国王に従っていた国軍は中立を宣言し、あとを託されていたシャープール・バフティヤール内閣は総辞職した。

二月十一日、革命が達成された。十二月には、新憲法が国民投票で承認され、革命を主導したホメイニが初代の最高指導者に就き、彼の理論である「イスラム法学者による統治」がはじまったのだ。

革命が達成された時、ソレイマニは二十二歳だった。同じ年の五月につくられたイスラム革命防衛隊は、国王に従ってきた正規軍とは違う「精鋭部隊」の側面が強い。できたばかりのイスラム革命体制を守ることはもちろん、正規軍による反乱を防ぐ狙いもあった。

一九八〇年五月、二十四歳だったソレイマニが正式に革命防衛隊の隊員になる。その四カ月後にはじまったのがイラン・イラク戦争である。訓練部隊の指導役となっていたソレイマニは、一九八一年十月に編成された四百人の部隊を任されるようになる。イラク軍を相手に部隊長として自らも前線に立ち、重傷を負うことがありながらも戦果を上げた。上層部にも名前が通るようになっていく。

ただ、イランは最終的に停戦を受け入れ、一九八八年八月に事実上の敗戦を迎えた。イランでは少なくとも、民間人も含めて二十万人が死亡したとされる。

戦後、イランは国防力の立て直しを急いだ。一九九八年二月、ソレイマニが最高指導者ハメネイの命を受けコッズ部隊の司令官に就く。この時、四十一歳だった。

その後、ソレイマニは中東各地を飛び回り、「親イラン勢力」を育てていった。

ＩＳとの闘い

ソレイマニは忙しい日々を送るなか、まとまった休暇が取れると故郷のガナト・マレク村に戻ってきた。五十年来の友人マルキのスマートフォンにはいまも、ソレイマニが穏やかな表情を見せたり、歯を見せて笑ったりする写真がいくつも残っている。

いまは亡き両親にぴったり寄り添う姿は、親を思うソレイマニの優しさがにじみ出ているという。

しかし、いつも穏やかに過ごすソレイマニの表情が急変したことがある。マルキの記憶では二〇一二年だった。仲間と一緒に山登りを楽しんでいた時、ソレイマニの携帯電話が鳴った。通話しているうちに、いら立つ様子に変わっていった。

「どうしたんだ？」

電話を切ったソレイマニに何度もマルキが尋ねると、重い口を開いた。

「テロリストがこっちに向かっている。俺たちシーア派をぶっ潰そうとしているんだ」

それこそが、のちのＩＳだったのである。その後、ＩＳが支配地域を広げた頃になってようやく、マルキはソレイマニのことばの意味を知った。ソレイマニは、ＩＳが「国家」の樹立を宣言する二年余り前の段階ですでに危機を感じ取って行動に移していたことになる。マルキは語る。

「素早く対応して、見事にＩＳをやっつけてくれました。いまの平穏な暮らしがあるのは、ソレイマニが命をかけて私たちのために戦ってくれたおかげですよ」

二〇一七年十二月にイラク、二〇一九年三月にシリアのそれぞれが、ＩＳを排除したと宣言した。

ソレイマニの長女に対面取材

テヘランに戻った私にはどうしても会いたい人物がいた。

ソレイマニの遺族である。調べていると、ソレイマニには娘や息子がいることが分かった。長女は二〇二一年六月にあったテヘラン市議選に立候補し、得票率三位で当選していた。早速、市議たちの執務室が入る「議員会館」に足を運び、取材を依頼する長女宛ての手紙を残した。手紙には、ソレイマニの故郷に行って取材したことや、暗殺に対する遺族としての受け止めを聞きたいことを記した。

ただ、実現しないだろうと半ば諦めてもいた。イランで政財界の要人に取材することは簡単ではない。取材を依頼しても、何も反応がないまま時間だけが過ぎることは少なくないのだ。ましてやソレイマニの遺族だ。国家の安全保障や機密に繋がる機微な話題になるかもしれず、国側とすれば、露出を止めたくなるのは自然だろうと私は察していた。

ところが、まもなくして長女の秘書から返事があった。

「取材を受けると言っています。議員の執務室でお待ちしています」

信じられない思いだったが、喜びが湧いた。


二〇二一年十月十三日、午前十一時に取材の時間を指定された。夏の強い日差しはようやく和らいでいたが、ワイシャツにジャケットを羽織るとまだまだ汗ばむ陽気だ。議員会館の正面玄関を入った所にある受付で名前と社名を告げると、守衛が執務室の一室に電話を入れた。初めて会館内に通された私は、緊張と気持ちの高ぶりを覚えつつ、エレベーターで七階に上がった。窓の外の眼下には広々とした公園が広がっている。首都では珍しい和やかな緑の光景に、冷静さが少し戻った。

廊下に面した扉の近くに男性が立っていて、秘書だと名乗った。執務室内へ促されると、頭から足元まで真っ黒の布、チャドルで覆った女性に出迎えられた。

ソレイマニの長女、ナルジェスである。茶色の長机の端にはす向かいに座ると、彼女はにっこりと笑顔を見せ、チャイをすすめながら自己紹介した。私より一歳上の三十八歳で、私と同じく二人の子を育てる親だった。イラン国外の報道機関の取材に応じるのは初めてだと言う。

「私は日本や日本人のことをすごく尊敬しています。父のことやイランのこと、しっかりと伝えて下さいね」

ナルジェスはそう述べると顔を引き締めて、父ソレイマニについて語りはじめた。

父が亡くなった日

二〇二〇年一月三日の夜明け前、ナルジェスはテヘランにある自宅で就寝中だった。夫の携帯電話が鳴る。親族からだった。実家にすぐ来るよう言われた。

どうやら、父が死んだらしい。

「『お父さんが死亡した』とこれまで何度も聞かされてきた。今回もウソで、危ない目に遭ったとしてもケガをした程度だろう。とにかく、無事でいて欲しい」

父がずっと身の危険と隣り合わせだったことは、幼い頃から分かっていた。ISと戦う目的でイラクやシリアに行くことになった当初は泣いて引きとめた。それでも父は何度も現地に赴き、無事に帰って来た時には手紙を渡された。そのなかにあった一文に、祖国を思う父の固い意志を知った。

取材中、父親の思い出話になると表情を和らげたソレイマニの長女ナルジェス。後ろに見える執務机には、支援者から贈られたというソレイマニの小さな胸像が置かれていた

「私が戦う理由は、人類の自由と尊厳を守るためだ」

しかし、とうとう恐れていた最悪の日を迎えてしまった。夫の電話が鳴った数時間前、父は訪問先のイラクで米軍のドローンが放ったミサイルにより本当に殺害されていたのである。三日前の電話が、最後の会話になった。

「焼き菓子を作って渡そうと思っているんだけど」

「ありがとう。でも、急ぎの用事があって、もう行かないとダメなんだ」

あの時、無理をしてでも会いに行くべきだったと、ナルジェスは悔いている。

死後に思い出すのは、様々な顔を持っていた父の存在である。

「戦略家で力強い司令官、教育熱心できっちりした父、優しさと愛にあふれたおじいちゃんでした」

イスラムの教えを守り、女性としてどう正しく生きるべきなのか。ナルジェスは幼少期から丁寧に説かれた。

父は台所に立つことが多く、炊き込みご飯やスープ料理が得意で、シナモンやカルダモンといった香辛料の使い方が上手だった。歴史ものを好む読書家でもあり、テレビで放映された黒澤明の映画『七人の侍』が好きだったという。

週末、息子と娘を連れて実家に遊びに行くと、父は一緒になって水遊びをしたり、落ち葉にまみれて遊んだりしてくれた。

そうした話を聞いているうち、取材は予定を三十分超えて一時間半を過ぎていた。最後に改めて、ソレイマニが殺害されたことに対する受け止めについて聞いた。

「一国の大統領がいとも簡単に、他国の人間に対する殺害を命じ、実行する。娘という立場を離れても衝撃ですし、イラン国民としてはとても屈辱です」

自衛権の行使の是非

この一言を聞いて私が思い返したのは、ナルジェスを取材する九カ月前に訪れたソレイマニの追悼行事のことである。そこには、両手で抱えきれないくらい大きな遺影を持つ参列者がいた。遺影にはソレイマニ、その右隣に迷彩服を着て座る男性が写っていた。男性はその左腕をソレイマニの肩に回していて、二人の親しい関係性がうかがえた。

この男性は四十二歳だったシャフルーズ・モザファリニアだと、遺影を手にした彼の弟モジュタバ（三二）が言った。

ソレイマニと同時に殺害されたシャフルーズ・モザファリニアの遺族（左）は、追悼行事で二人が写る遺影を手にソレイマニの娘と記念写真を撮っていた

「兄はソレイマニ司令官に十年間仕えた側近だったんです。司令官がイラクで殺害された時も、兄は同じ車両に乗っていたそうなんです」

モジュタバが続ける。

「兄は立派に殉教しましたが、それでもやはり、家族として寂しさはあります」

イランで「殉教者」は尊敬や憧れの対象とされる。イスラム教シーア派の共同体を守るために犠牲となったと国側に認められた人物であり、来世では楽園が約束されるという考え方がある。死亡した家族が殉教者として認められると、遺族は就学時の優遇や給付金といった行政による様々な扶助を受けられる。

そうしたことを差し引いても、いきなり家族を殺されて押し寄せてきた喪失感があるのだろうと、彼のことばから感じられた。私の心に残ったのは、米国の暗殺行為についてて触れたモジュタバの疑問だ。

「米国は他国の人権問題についてよく口を挟んできます。しかし、他の国の人間をいきなりドローンで殺害するという、自分たちの行為こそどうなんだよ、許されるものなのかよ、と問いたい」

二人のことばには、米国を単に「悪者」と見なして文句を言うこと以上の意味が含まれていた。前章で述べたように、米国はソレイマニを殺害した根拠として、国連憲章で認められている「自衛権の行使」を持ち出した。しかし、こうした米国の言い分が正しいのかどうかは疑わしい。

二〇二〇年七月、国連人権理事会の特別報告者アニエス・カラマールが、ソレイマニの殺害をめぐる様々な論点について、四十ページの報告書にまとめた。そのなかで次のような見解を述べている。

「米国の権益に対する攻撃が差し迫っていたという証拠は示されていない」

要するに、自衛権の行使が容認できる事例には当たらず、ソレイマニの殺害は武力行使を一般的に禁止する国連憲章二条四項に違反すると結論づけたのだ。

ただ、この見解を受けて米国に対する批判の声が世界的に広まったとは言えず、「違反」という捉え方が主流になったとは考えにくい。米国側の関係者が国際法廷で裁かれるという話も聞こえてこない。だからといって、この一件が国際法上の問題はなかったと言い切れないのではないかと、私はいまでも考えている。

自衛権の行使をめぐる問題は国際法や国際政治学を専門とする有識者の間で議論になることが多く、ソレイマニの殺害事件も話題になった。

私は、東京外国語大学大学院教授の篠田英朗にメールで意見を聴き、参考資料の提供を受けた。篠田は、ソレイマニ殺害事件について明白に違法と断定するのはためらわれる一方で、合法性が自明だとも言えず、「かなりグレーゾーンの案件」だと指摘した。篠田はこの件について新潮社の国際情報サイト「フォーサイト」で論点をまとめている。以下ではそれに基づき整理する。

国際人道法は「戦闘員」と「非戦闘員」を区分していて、武力紛争中の戦闘員に対する攻撃を合法的なものと考える一方で、非戦闘員を攻撃することは禁止している。

そのうえで、ソレイマニの殺害事件に関してまずポイントとなるのは、ソレイマニは米国と交戦状態にあった武装勢力の戦闘員だったとみなせるかどうかという点だ。篠田は「もしみなすことができなければ、文民に対する攻撃となり、違法である」と述べている。また、米国がイラクという他国で、しかもイラク政府が同意しないまま攻撃に踏み切ったと指摘し、そこにも問題の可能性があると篠田は記している。

反米に傾く国民感情

こうした国際法上の問題とは別に、イランでは保守層を中心に国民感情として米国に対する憎悪が高まっていった。また、イスラム革命体制が暗殺事件を利用し、反米感情を煽って求心力を得ようとした側面もある。そうして漂っていった反米の雰囲気は、革命の達成から四十二周年を迎えた二〇二一年二月にあった記念式典で感じられた。

式典はテヘラン中心部で開かれることになり、私は早朝から足を運んだ。高さ四十五メートルのアザディ・タワーに向かって、イランの国旗やソレイマニの肖像画を持った大勢の人たちが行進してくる。数多くのバイクも集まり、排ガスをまき散らしながらタワー周辺のロータリーをぐるぐる走っていた。そこへ、革命の時に流行した力強く威勢のいい音楽が絶え間なく、巨大なスピーカーから流れてくる。

排ガスと爆音で私は頭がくらくらしていた。逃げ込むように入ったタワーのふもとにある広場で、子どもを連れた男性に声を掛けた。国営の電力会社に勤めるマフヤル・ミールザイー（三二）で、四歳の息子と一歳の娘の手を引いていた。式典に参加した理由を聞いた。

「革命の素晴らしさを改めて感じる大切な日ですからね。そして、ソレイマニ司令官を失った悔しさを自分の子どもたちにも伝えられる機会にもなります」

近くで露天商が赤や黄色の風船を売っている。ミールザイーが子ども二人にせがまれて買い与える様子を一見すると、縁日を楽しむ家族連れだ。しかし、胸の内では「英雄」を殺害した米国に対する憎しみを宿し、それを次世代に継いでいく決意を秘めている。

「司令官がいたからこそ、この国はISという脅威に大きく揺さぶられず、しっかりと独立が保たれています」

ソレイマニはISによる侵略を防いだ立役者だと、やはり多くの人たちが信じているのである。だから、そういう自分たちの英雄を殺した米国こそが「悪党」なのだ。

米国の振る舞いによってイランで反米感情が膨んだところで迎えたのが、四年に一度の大統領選だった。

第三章

史上「最低」の大統領

السلام عليك

2021年6月18日午後11時頃、大統領選の投票所となったテヘラン北部の聖廟には、
有権者が椅子に座って順番を待っていた

候補者・ライシの地元へ

四年に一度ある大統領選を一ヵ月後に控えていた二〇二一年五月。有力な候補者の足跡を探っておこうと、首都テヘランから飛行機で東へ一時間半、北東部の都市マシャドを訪れた。

司法府トップ、エブラヒム・ライシの地元である。

イスラム教シーア派の聖地として知られるこの街を歩いていてよく行き交うのは、ヒジャブやチャドルと呼ばれる布で頭から足元まで覆った女性たちである。信心深さがうかがえる姿だ。そうしたイスラム教徒たちが向かうのは、シーア派の第八代指導者レザー（在位七九九～八一八年）の廟だ。黄金色のドーム形をした屋根が街の象徴になっている。

私はまず、ライシが生まれ育った地域に向かった。

幅十メートルの道路はアスファルトの舗装が傷み、デコボコしていた。灰色の塗装がはがれたトヨタの乗用車が、黒い排ガスと砂埃を残して通り過ぎていく。道路の脇

北東部マシャドを訪れると、荘厳な造りが特徴的なレザー廟に出迎えられる

エブラヒム・ライシが生まれ育った地域には、簡素な民家が立ち並んでいた

には茶色の土壁が一部崩れ落ち、内部のレンガがむき出しになった簡素な二階建ての民家が並ぶ。

十字路の角にある小さなモスクの前を通りかかると、礼拝を終えた四～五人の男性たちが外に出てきた。アジミと名乗った男性（六〇）にライイシのことを聞くと、メガネの奥の目尻を下げながら語った。

「ライイシさんは懸命に勉学に励み、ああやって立派なイスラム法学者になった。正義感の強いライイシさんであればきっと、イランを立派な国に立て直せますよ」

アジミの自宅はライイシの生家と同じ地域にあり、小学校も同じだったという。クラスは違ったが、二人は同級生だった。

司法府トップの仕事

一九六〇年十二月、ライイシはマシャドで生まれた。イスラム聖職者だった父ハッジを五歳で亡くし、家庭は貧しかったと伝えられる。ライイシは父親と同じ聖職者の道に進み、数々の宗教学院が集まる中部コムで学んで法学修士号、テヘランのシャヒード・モタハリ大学で神学の博士号を得ている。ライシと最高指導者アリ・ハメネイはともにマシャドが生まれ故郷で、ライシはイスラム法学を修めるうえでハメネイの教えを受けた弟子でもあった。

その後、ライシは司法界でキャリアを重ねていき、二〇一九年三月にハメネイに任命されて司法府トップに就いた。

同級生だったアジミにライシに抱く期待の理由を聞いた。

「ライシさんは司法府で汚職の捜査に取り組みましたからね」

政府の間で広がる汚職に対しては、一般の人たちの間に強い不満がありそうだ。米メリーランド大学がイランで二〇一四年以降、定期的に実施している世論調査がある。二〇二一年二月の調査で、イランの経済に悪影響を与えている要因を尋ねた項目では、回答者の五十八%が「内政における失策・汚職」を選び、「外国からの制裁や圧力」の三十五%を上回っていた。不況の最大の原因は米国による経済制裁だと考えていた私には、意外な数字だ。

ライシは汚職の撲滅を優先事項にしてきていて、こうした国民の不満に向き合ってきた側面がある。しかし、だからといって、ライシの業績を単純に評価することにはためらいがある。摘発された人たちのなかには、彼の支持基盤であるイスラム革命防衛隊をはじめとする、革命体制を支える関係者は表に出てこないからである。

その代わりに目立つのはライシの「政敵」であり、この時の大統領ハサン・ロウハニに関係する人物である。ライシは二〇一七年五月の大統領選に初めて立候補したが得票率は三十八％にとどまり、五十七％だったロウハニに再選を許していた。

二〇一九年十月、ロウハニの弟ホセイン・フェレイドゥンに収賄罪で五年の拘禁刑が言い渡された。また、二〇二一年一月に汚職の罪で二年の拘禁刑が下された観光系金融機関グループのトップ、マフディ・ジャハンギリは、ロウハニ政権で第一副大統領のエスハグ・ジャハンギリの弟だった。

ライシが取り組みたかったのは、ロウハニの人気を落とすことだったと考えてもおかしくない。

街に溶け込む「影の強硬派」

ライシが高く評価される理由には別の側面もある。司法府に移る前までの三年間、彼は故郷のレザー廟を管理する宗教財団の代表だった。これも同じくハメネイの命を受けたものだ。財団は多額の寄付を集めているほか、傘下には多くの企業を抱えていて、国内で指折りの財力を持っている。ライシはそうした経済力を背景に、地元で公共住宅や宿泊施設を次々に建設していたとされる。

街中を見て回ると、新しい建物や道路を建設している所がいくつもあり、活気を感じさせる。そうした現場を眺めつつ、私は中心部にあるバザールの一角で見かけた靴販売店に入った。

蛍光灯の白い光で照らされた店内は壁一面に、黒や白、赤やオレンジといった様々な種類のスニーカーがきれいに並べられていて、ナイキやアディダス、プーマといった米独のブランドのロゴが入っている商品もある。パッと見た感じは東京・上野のアメ横にあるような店舗と変わらない。

しかし、商品を手に取ると違和感がある。ブランドのロゴが微妙にずれていたり、素材の肌触りが何となく安っぽく感じられたりするのだ。縫い目が雑なものもあり、靴を入れる紙箱の表面は真っ白で絵柄がない。イランでよく見る偽物で間違いなさそうだ。

店のアルバイト従業員で大学生のイブラヒム・モエイニ(二三)はライシについて、

イブラヒム・モエイニが働く靴販売店では、商品と商品の間にソレイマニの肖像画が飾られていた

地元に活力を与えた「功労者だ」と述べた。

「ライシさんの手腕があれば、米国の制裁や新型コロナウイルスでひどくなった状況をきっと、よくしてくれるはずです」

柔和な顔つきで来店客に優しく声をかける丁寧な接客ぶりから、モエイニはふつうのおとなしい学生という印象を受けた。だが、それは私の勝手な思い込みだった。

店内の靴と靴の間の壁に、縦四十センチ、横三十センチある一枚の肖像画が貼られていた。イスラム革命防衛隊の司令官ガセム・ソレイマニだ。肖像画を飾っているのはモエイニの趣味によるという。

「司令官のことが大好きなんですよ。僕たちのヒーローですからね」

ソレイマニを称賛するのは主に保守強硬派の人たちである。なかでも民兵組織バシジに所属し、眼光は鋭くて威圧感があり、近寄りがたいイメージを私は強く持っていた。しかし、モエイニの見た目や口ぶりは、そうした強硬派の像からかけ離れている。

彼のような「影の強硬派」も日常に溶け込んでいるのだ。

血筋への信頼

マシャド各地で話を聞いて回ったが、ライシに向けられる称賛や期待の声ばかりで、人気は疑いようがない。商店で飲み物を買おうとしていたモハマダリ・アミリ（五〇）は、「すべての国民がライシさんに次の大統領になって欲しいと願っていますよ」と話した。理由を尋ねると、黒のターバンに象徴される血筋に触れた。

「ライシさんが預言者の子孫ということは実に大切な要素です」

とりわけ保守層の間では、血筋を重視する風潮が感じられた。

イランが国教とするイスラム教シーア派はスンニ派と並んで二大宗派と言われる。世界全体を見ると、シーア派は一割、スンニ派は九割とされるが、イランでは国民の九割以上をシーア派が占めている。

両派ともアラビア語でアッラーと呼ぶ唯一神を信じることでは共通するものの、大きな違いは預言者ムハンマドの正統な後継者を誰と認めるかという点にある。シーア派は預言者の血筋を引く者に限ると考え、初代はムハンマドの従弟で娘婿のアリーとしている。一方、スンニ派は預言者の血筋を条件とは見なさず、合議や指名などによって後継者を決めることにした。そのうえで、一〜三代目をアブー・バクル、ウマル、ウスマン、そして四代目をアリーだと考えているのだ。

シーア派に特徴的な考え方から、ライシが信頼を寄せられる側面には血筋もあるのだろうと思えてくる。ちなみに、最高指導者のハメネイも預言者の血の流れをくむ者とされている。

シーア派とスンニ派は政治に絡めて語られることが一般的に多いだろう。たとえば、国家の間で争いがある場合に宗派の違いに着目して「シーア派とスンニ派の対立」という構図で描かれることがある。「中東のシーア派大国イラン対スンニ派の盟主サウジアラビア」といった具合だ。

しかし、私が重視しているのは、対立があったとしても教義をめぐるものではなく、争いの種は主に、外交の場合では「国益」、内政では「利権」ということだ。第一章で述べた「シーア派の三日月地帯」のように、国際政治の場で生じている現象を宗派で括ることは、情勢を読み解くうえで注意が必要だと考えられるのだ。

「政治エリートは信じられない」

マシャドの街中で取材していると、政治そのものに無関心という声もあった。子どもも服店の店員でサラと名乗った女性（二四）は投票に行かないとはっきり言った。

「大統領が誰であろうと、この国が抱える問題は解決しない。ライシだろうが誰だろうが、政治エリートなんか信じられません」

米国と対立し、経済が停滞する現状に大きな不満と諦めを抱いているようだった。彼女はヒジャブを着けているものの後頭部の方にずらしていて、そこから茶色に染めた前髪を出していた。細身のジーンズ姿でもあり、信心深いとは言えない服装だ。

一連の取材を終えてみて、ライシに向けられる見方は大きく二つに分けられそうだった。

まず、イスラム革命体制を支持する宗教的な保守層に人気や期待があるのは間違いない。そうした支持層は都市部よりも地方、そして経済的には貧困層に含まれる人たちに多い傾向がある。一方、都市部の中間層や富裕層には忌避感が強い。革命体制下の社会に何かしらの不満を感じていて、国際的な孤立を嫌がっている。

こうした現体制やライシに批判的な人たちはどれほどお願いしても顔写真の撮影を拒み、フルネームを告げることはほとんどない。批判の声が公になると何か不都合があるのだろう。この時の私は、ぼんやりとそのように考えていたが、あとになって生死に関わる問題なのだと気づくことになる。


夕食にしようとレストランに入った。メニューを見ると、ハンバーガーやカルボナーラ、シュニッツェルがある。イランで味わえるシュニッツェルは鶏肉が一般的で、薄く伸ばされた肉に衣がつけられ、油でカラッと揚げてある。ジューシーな肉汁とサクッとした衣が口の中で絡み合う。日本のチキンカツに慣れた私にとっては中濃ソースがあれば完璧だが、イランではごく一部のアジア系の食材店や大型スーパーを除いて入手は難しく、運良く店頭にあっても二千円近い「贅沢品」だ。

支局の現地スタッフと取材の結果を振り返りながら食事をとり、食後のエスプレッソを飲んでいる時にはたと思い直した。夜の時間帯に街中で取材をすれば、昼間とは違った話を聞けるかもしれない。もう一度、ライシが生まれ育った地域に向かった。

真の顔

夕闇の先に、建物からこぼれるオレンジ色の淡い光が見えた。野菜や飲み物を売る小型の商店で、マガゼと呼ばれるコンビニのような店舗である。六畳ほどの広さの店内は客が三人も入ればいっぱいになる。棚にはシャンプーや食器洗い用の洗剤、トマトの缶詰や瓶入りのイチゴジャム、チョコレート菓子が並んでいる。

下段の棚にジャガイモを並べていた店主の男性に、ライシをどう思うか聞いた。すると、彼は作業していた手を止め、左右を見て客のいないことを確かめたあと、声を潜めて言った。

「誰もがライシの怖さを知っていますよ。彼に盾突くとどうなるのか、ってことをね」

ライシの地元で初めて聞く否定的な声に耳を疑った。どういうことなのか、念を押して聞いてみるとこう返ってきた。

「あとは自分で調べてみて下さいよ。ジャーナリストなんでしょ」

彼はメガネの奥に見える重たそうなまぶたをこちらに向けた。ねっとりとしたような目つきに一瞬、気圧された。それでも、私は記事で引用したい貴重な証言だと感じ、彼に名前と年齢を聞いた。三十八歳だと述べたもののそれ以外は語らず、カウンター内に入っていった。そして、店を出ようとする私の背中に告げてきた。

「記事にする場合は絶対、私のことが特定されないようにして下さいよ」

誰もがライシに抱く「怖さ」とは一体、何のことだろうか。テヘランに戻る飛行機の中で私はその一点で頭がいっぱいだった。

支局の事務所に戻るとすぐに、ある人物に連絡を取った。イランの政治や外交に詳しいテヘラン在住の研究者で、取材に行き詰まった時に意見を求めてきた。彼に勧められ、米財務省が二〇一九年十一月に発表した資料をインターネットで検索した。

一九八八年のことだ。当時、ライシは二十代後半の検察官で、テヘラン州の副検事長だった。その頃、「死刑委員会」と呼ばれる特別委員会の一員でもあった。死刑委員会が動いていたのは、国内の各勢力が権力争いをしていた時期と重なる。

一九七九年二月に達成された革命を「イスラム革命」と呼ぶことはあるが、この言い方は後付けの意味合いが強い。当時、革命を主導したイスラム勢力の他に、民族主義や親ソ連派の共産党、左翼の武装組織などのグループもあったからだ。

こうした権力闘争のなか、ライシが所属した死刑委員会の役割は、成立後まもない革命体制に反対する「政治犯」を処刑することだったのである。

米財務省は死刑委員会が「超法規的な処刑を指示していた」と述べ、処刑された人数を「数千人」と説明している。当時の死者数については、国際人権団体アムネスティ・インターナショナルが「少なくとも五千人」と指摘している。

いま生きている人たちのなかには、家族や知人といった身近な人を処刑された事例もあるだろう。三十年以上前のことでも忘れられない事件として記憶に刻まれているのだ。だから、国側に対して批判的な言動は政治犯と見なされる恐れがあり、取材で名前や顔を決して明かしたくない人たちがいるのである。

人びとがライシに抱く恐怖心は、この一件にとどまらない。

「私の票はどこへ?」

二〇〇九年六月にあった大統領選のことである。リベラル色が強く、改革派に位置づけられる元首相のミールホセイン・ムーサビが出馬した。自由の拡大を訴えて選挙戦を戦い、優勢が伝えられていた。しかし、結果は保守強硬派のマフムード・アフマディネジャドの大勝だった。すると、多くの有権者たちの間で膨らんだのは、自分たちがムーサビに投じた票は数えられていないのではないかという疑念だった。

「私の票はどこへ？」

このスローガンとともに、国内各地の街頭はデモに参加する人びとで埋まった。ムーサビ陣営が選挙戦で使っていた色から「緑の運動」と呼ばれた。

だが、国側は武力による抑え込みを図り、英公共放送BBCによると、七十人以上のデモ参加者が殺害されたという情報がある。この時の鎮圧でも重要な役割を果たしたのが、司法府のトップ代理だったライシとみられている。シンクタンクの米国平和研究所は、デモ参加者の拘束や拷問、処刑に関してライシが中心的な人物だったと指摘している。

ライシの怖さは「緑の運動」も最後とはならず、その後に続くことになる。

イランの選挙制度

二〇二一年の大統領選そのものに話を移す前に、イランに特有な選挙の制度について触れておきたい。まず、大統領選に立候補する場合、希望する人たちは事前の登録が必要だ。登録のあと、護憲評議会と呼ばれる専門家の組織による資格審査がある。

護憲評議会は十二人で構成されていて、内訳は最高指導者が任命するイスラム法学者六人と一般の法律専門家六人だ。ただ、一般の法律専門家も最高指導者がトップを任命する司法府の推薦に基づき、国会が信任している。つまり、護憲評議会は最高指導者の強い影響下にあり、その決定はいまではハメネイの意向が反映されやすいと考えられている。

資格の審査には様々な要件があり、「イラン国籍を有する」「イスラム教十二イマーム・シーア派を信仰」といった項目に加えて、「よき経歴」や「敬虔さ」、「犯歴なし」といった点も含まれる。さらに、今回は下記の条件が付け足された。

・四十～七十五歳

・修士号か同等の資格
・最短四年の正・副大統領や司法府・国会の正・副の長の経験
・閣僚・次官、知事、住民二百万人以上の都市の首長の経験

十八歳以上の男女による直接選挙を通じて大統領が選ばれる制度ではあり、民主的な手続きを重んじようという姿勢は感じられる。在テヘランの外交関係者は言う。

「民意が反映される選挙制度を採用していることから、政府や革命体制は自分たちの正統性が保たれていると考えています」

ただ、要件には革命体制が理想とする候補者に絞り込む意図がうかがえるうえ、審査基準のなかには客観的に測れないものもある。また、審査は不透明な形で進められる点も考えると、私たちの知る民主主義とは大きく異なる。だからといって、最高指導者の思惑どおりにすべてが決まるわけでもなく、「独裁」とは言い切れない。

ライシと泡沫候補たち

選挙を統括する内務省は二〇二一年五月十一～十五日に立候補希望者の登録を受け

付け、計五百九十二人が応じた。男女別では男性が五百五十二人、女性が四十人だった。

人数の多さに驚くが、イランでは立候補の希望者は毎回かなりの数にのぼる。前回二〇一七年五月は千六百人を超えていた。マジメに立候補を考えている人、名前を売りたい人、単純に目立ちたい人、色々な理由があるようだ。

そして、五月二十五日、内務省は大統領選の正式な候補者を明らかにした。結局、護憲評議会による資格審査を通ったのは、五百九十二人のうち七人だった。そのなかにロウハニ政権に近い改革派・穏健派が推す有力者の名前はなかった。

一方、ライシは立候補を認められた。このほか、サイード・ジャリリ元国家最高安全保障委員会事務局長、モフセン・レザイ元革命防衛隊司令官が候補者の名前に入っていた。いずれも保守強硬派に位置づけられる。また、イラン中央銀行の総裁アブドルナセル・ヘンマティの名前もあった。ヘンマティは改革派ではあるが、政治経験は皆無に等しい。

ライシ以外の候補者六人に共通するのはいわば「泡沫」という扱いで、選挙の前から結果は目に見えた。泡沫だとしても改革派の候補を残したのは選挙の体裁を保つためだったと、私は考えている。

この時点で、欧米メディアを中心に今回は「仕組まれた選挙」や「茶番」と言われた。選挙を仕組んだ主語は一義的には護憲評議会になるが、もしそうだとすれば理由は何か。ライシの大統領就任を望んでいるとされる、最高指導者ハメネイへの「忖度」と考えると腑に落ちる。

ハメネイがライシを理想的な新大統領と考える理由は、次の三つが挙げられる。

一つ目には、米国に厳しい姿勢の強硬派から大統領を選ぶ必要があった点だ。二〇一三年八月から大統領を務めているロウハニは米国との関係を改善させようとした。次章で詳しく見るように、二〇一五年七月に締結した「核合意」は交渉の末、米国に経済制裁を緩和させた歴史的な成果であり、ハメネイの了解があったからこそ成し遂げられた。核合意によって国際的な孤立から脱し、経済は回復するはずだという期待がイランで急激に高まった。

ところが、米国が核合意から離脱する道を選び、イランは二〇一八年八月からは再び制裁を科されるようになった。期待があったゆえに落胆は大きかった。ハメネイは面目を潰され、米国と対決する姿勢を明らかにしたのである。

二つ目には、イスラム革命体制に忠実な保守派でなければならない事情がある。ハメネイは大統領選の翌月に八十二歳を迎える。持病があり、健康不安説はたびたびささやかれてきた。このため、次の大統領は最高指導者の後継者をめぐる課題に直面する可能性が高い。これまでのところ、ライシが後継者として有力視されている。その時までに、「子飼い」であるライシに大統領の経験を積ませておきたいと、ハメネイは考えているのだ。ハメネイ自身、最高指導者に選出される一九八九年六月までの八年近く、大統領を務めている。ライシが大統領となり、後継問題に取り組むことになれば、ハメネイは安心できるはずだ。

最後に、イメージ戦略が考えられる。ライシは革命体制の中枢を歩んできたが、その経歴は司法界という裏舞台がほとんどだ。汚職と立ち向かってきたことをアピールしているが、どうしても「強面」のイメージが定着している。このため、大統領になれば国民の目に触れる機会が格段に増え、そうした印象を変えられるかもしれないのだ。

選挙の結果が明らかななかで注目を集めたのは投票率だ。在テヘランの外交関係者は言う。

「革命体制は国民の支持の度合いを測るうえで、大統領選の投票率を重要な指標としています。それなりに高い投票率であれば、現体制の正統性は保たれていると受け止めるのです」

直近三回の大統領選の投票率を見ると、二〇〇九年六月は八十五％、二〇一三年六月と二〇一七年五月はいずれも七十三％だった。背景には、選挙に政治色の異なる候補者が出馬し、選挙戦が盛り上がったことがある。たとえば、米国との関係をめぐり、敵意を前面に出す強硬派から、改善しようとする穏健派・改革派に至るまで、複数人が事前の審査を通った。前回まではある程度、多様な民意を反映する顔ぶれになっていたのだ。

過去最低の投票率

六月十八日、投票日を迎えた。午前八時の投票開始に合わせ、私はテヘラン北部の投票所でいわゆる「出口取材」を試みた。ひとまず有権者十人に投票先を聞くことにした。

しかし、六人目で意味がないことに気づいた。誰もが「ライシ」と答えたのだ。早朝から投票に来るぐらいだから、革命体制を熱心に支持する人たちが多いことは予想していた。それでも、ライシを絶賛し、期待する声をいくら聞いても取材のうえではほとんど意味はなく、すべてを記事に引用することはできない。夕刻に別の投票所にも行ってみたが、十人のうちようやく二人が改革派と目されたヘンマティに投票したと答えた。

翌十九日に開票結果が発表され、ライシは得票率六十二％で「圧勝」だった。

しかし、二つの意味で驚きだった。まず、有権者五千九百三十万人に対して投票者数は二千八百九十万人となり、投票率は四十八・八％で過去最低だったことだ。

もう一つは、無効票数の多さである。投票用紙に立候補していない人物の名前が書かれたり、白票だったりした無効票は三百七十二万票にのぼり、次点だったモフセン・レザイの得票数よりも多かった。

「投票済み」スタンプ

さらに興味深かったのは、投票率はもっと低くてもおかしくない事情があったことだ。ライシの地元マシャドで自動車リース会社を営む男性（五三）はこれまで選挙の

大統領選の投票所では、係員が有権者から預かった身分証明書を確認していた。投票を終えると、「投票済み」を示すスタンプが押される

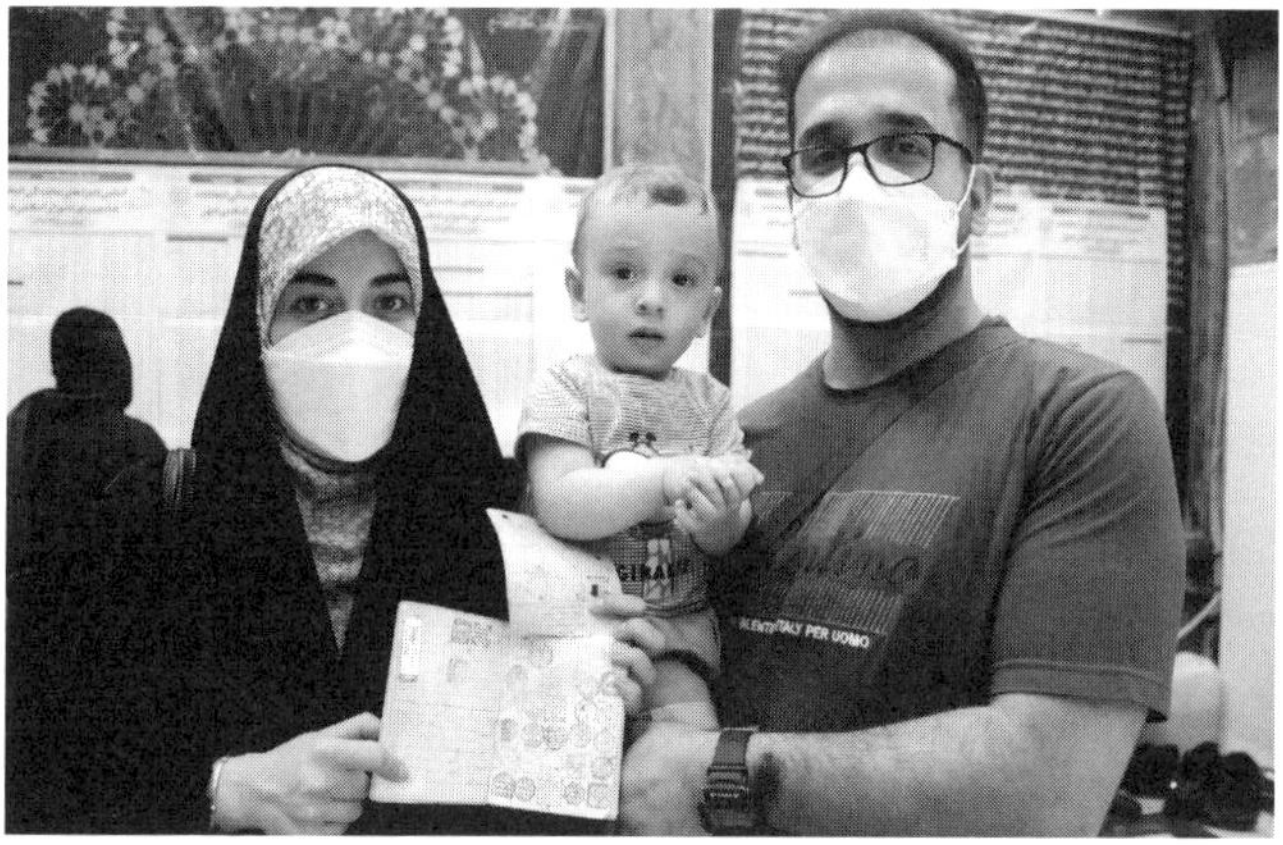

幼い子どもを連れて投票所に来た夫婦。身分証明書には今回の分の他に過去の選挙のスタンプもある

たび、社会的な体面を気にして票を投じてきた。

「知り合いの誰かに『投票した？』と聞かれて、もし俺が投票していなくて、相手は投票していた場合を考えて下さい。投票していないと知られれば白い目で見られます」

最高指導者ハメネイが有権者に投票を呼びかけているなか、その声に応じていないことになれば非難される恐れがあるそうだ。

場合によっては不利益を被ることもあるらしい。テヘラン在住で地方公務員の女性（三〇）は「投票先がなくても投票には必ず行きます」と述べる。理由は「スタンプ」だという。

有権者は投票の際、パスポートの形をした身分証明書を持っていき、投票所の係員に預ける代わりに投票用紙を受け取る。投票を終えると、身分証に「投票済み」のスタンプが押されて返される。職場の習慣や仕事の内容によっては、上司や取引先からスタンプを確認される可能性があるというのだ。

「スタンプの有無を確かめられた知人がいます。給料や昇進、ビジネスの行方に直接関係するのかどうか分かりませんが、無投票を褒められるわけがありません」

仮に白票を投じてもスタンプは押されるため、「投票」するのである。

今回、在テヘランの外交関係者も、投票率の低さと無効票数の多さに衝撃を受けていた。
「革命体制に向けられた明確な不信任と考えていいでしょうね」

当選後、初会見

ついにライシと「初対面」する日を迎えた。六月二十一日、指定された首都テヘラン北部の記者会見の会場は、豪華な音楽ホールのような造りだった。持ち物検査を受けて入った内部には米国のCNNや中東カタールの衛星放送局アルジャジーラといった国外も含めた報道機関二百十社、記者ら三百八十人が集まっていた。

舞台上の演台には放送局のマイク五十本余りが隙間なく並べられ、まるで防風林のような異様な光景だった。マイクの数だけ見ると、世界中が注目している雰囲気は出ている。

予定を六分過ぎた頃、ライシが舞台袖から姿を現した。やはり頭には黒のターバンを乗せている。十メートル先に本人がいる。ようやく訪れたチャンスだ。私は二百ミリの望遠レンズをつけた一眼レフカメラのシャッターを切った。ライシはゆったりとした動きで演台まで移動すると右手を挙げ、手のひらをこちらに向けた。椅子に腰を下ろす。たくさんのマイクのせいで口元が隠れていて写真が撮りにくい。会場のスピーカーから、ライシが改めて公約を述べる声が響いた。

「革命精神にのっとり、国民の生活を必ずよくします」

その後、質疑が始まった。私は事前に文化・イスラム指導省の担当者を通じて、会見で質問したいと要望を出していた。考えていた問いは、関与が指摘される「死刑委員会」についてだ。「多くの国民がライシに『恐怖』を抱いているようだが、どう思うか」と尋ねようと思っていた。ただ、他にも質問を希望する記者たちがいて、私の順番は四十九番目だった。

会見の進行役が次々に記者を当てていく。「米大統領に会うつもりはありますか?」という問いに、ライシは短く一言で「ございません」と答えた。米国と対話するつもりはない姿勢を明確にしたやり取りに会場はどよめき、「ございません」という妙に丁寧な言い方に笑いがこぼれた。

予定されていた会見の終了時間が近づき、やきもきしていると、アルジャジーラの記者が人権問題を取り上げた。

「ライシさんは大量処刑への関わりが指摘されていますが、どう思われますか?」

2021年6月21日、大統領選で初当選したエブラヒム・ライシが記者会見に臨んだ。演台に並べられたマイクは防風林のように見えた

大統領としての資質を尋ねる質問であり、私が聞こうと思っていたことと重なる。私はペルシャ語から英語への同時通訳が流れるイヤホンの音量を上げ、ペンを握り直した。しかし、ライシは表情をまったく変えずにあっさりした様子で答えた。

「私が在職中に取り組んだことはすべて、国民の人権を守ることでした」

質疑は一時間ほど続いた。結局、私は直接質問できなかったが、会見に出席して確かめられたことがある。ライシはこの先も、革命体制を守り続ける強い覚悟を持っている。そして、米国と対話するつもりはないことだ。

さらに、ライシが大量処刑をめぐる質問に「国民」ということばを使ったことは強く印象に残った。彼が人権を守ったのはイスラム革命体制を支持する「国民」であり、それ以外の人びとはこの先も排除の対象なのだろう。

保守強硬派に集中する権力

選挙をどのように総括できるか。テヘランで活動するシンクタンク中東戦略研究所のジャバド・ヘイランニアを支局の事務所に招いた。彼は米英の有力な外交誌にも寄稿する、注目を集めるイラン人の論客の一人である。私より八歳上だが、いつも親身に応じてくれる。

　私の問いに対し、保守強硬派が権力を集中させたことに彼は注目した。

「イランでは制約はあっても、選挙を通じて一定の民意は汲《く》み取られてきた。しかし、いまや最高指導者とその周辺に権力が集まる状況になった」

　それについて、イランの正式な国名を挙げて解説した。

「イラン・イスラム共和国がこの国の正式名称だが、共和制が後ろに引っ込み、『イスラム』の色がよりはっきりと前面に出た」


　一連の取材を終えたあと、私は次の内容で記事をまとめた。

〈ライシの当選で、イランでは司法と国会、行政の三権すべてのトップを保守強硬派がおさえることになった。改革や自由を求める一般の人びとに対する、さらなる抑圧を懸念する声も高まっている〉

米国大使館人質事件の記念式典

二〇二一年八月三日、ライシは第八代大統領になり、私はイラン国営放送が生中継する特別番組で認証式の模様を見ていた。画面に映し出されたライシは少し腰をかがめるようにして両手を胸の前に出し、最高指導者ハメネイから信任状を受け取った。

その後、ライシは当選したあとの会見で示したとおり、米国と敵対する姿勢を貫くようになった。

そして、二〇二二年十一月の演説でライシは、「反米」発言を繰り返した。演説があった場所はテヘラン中心部にいまも残る旧米国大使館の建物前で、四十三年前に起きた事件の記念式典の場だった。

ここで、歴史的な出来事となる事件について簡単に触れておきたい。

イランで革命が成立した一九七九年二月。その十月、すでに国外に逃れていたパーレビ国王を米国が受け入れた。イラン側は国王の引き渡しを求めたが、米国は応じなかった。そこで、疑念が生じる。

米国は再び国王を担ぎ上げ、革命をひっくり返すのではないか——。

そして、十一月四日、革命を主導したイスラム法学者ルーホッラー・ホメイニに忠誠を誓う約五百人の学生たちが米国大使館に侵入して、「スパイ」と見なした米国の外交官ら五十二人を人質に取ったのだ。翌一九八〇年四月、米国とイランは断交。人質が解放されたのは、事件から四百四十四日後の一九八一年一月だった。

旧大使館の建物は薄いクリーム色の壁と茶色のレンガ造りで、いまでも当時のままのように見えた。しかし、内部は「米国スパイの巣窟博物館」に変わっていて、米国がイランで活動していた「痕跡」が見られ、展示物にはデジタルデータの暗号化や解読に使われた機械をはじめ、「機密」と書かれた文書がある。

敷地を囲う壁一面には、米国を揶揄する絵が何枚も描かれていた。「自由の女神像」のイラストは「女神」の顔が骸骨で、突き上げた右腕はもがれている。米国の評判を落とそうとする狙いが見えてくるようだった。

テヘラン中心部に残る旧米国大使館の壁には、顔を骸骨にした「自由の女神像」が描かれている

2020年11月、旧米国大使館の前であった反米集会では、女性が「米国に死を」と書かれた黄色のボードを持って立っていた

「米国に死を！」

午前十時すぎ、大使館の前を通る四車線の直線道路に参加者が続々と集まりはじめ、一時間もすると数千人規模に膨らんだ。私は、記者やカメラマンが使う高さ三メートルのやぐらの上に立って群衆を見渡した。男性はひげを生やし、黒っぽい服装をしている人たちが多い。女性は黒のヒジャブやチャドルで髪の毛や全身を隠している。

集まった人たちの手にはイランの国旗の他、最高指導者ハメネイや米軍に暗殺されたイスラム革命防衛隊の司令官、ガセム・ソレイマニの肖像画を持っている。革命体制を支持する、宗教的な保守層の集まりであることがすぐに分かる。

旧米国大使館の前に演台が設けられていて、青地に赤と白抜きの文字で「米国に死を」という意味の三つの単語が英語とペルシャ語で書かれている。私が構えた二百ミリの望遠レンズに、演台に近づくライシの姿が映り込んだ。ライシはマイクを前に話しはじめると、米国を批判するところで一気に感情を高ぶらせ、縁なしメガネの奥の目を見開いた。

「米国による犯罪リストの一部を挙げてみよう」と切り出し、続けた。

「米国は世界で三百以上の戦争に参加し、六十二カ国に対するクーデターを仕掛けた。ヒロシマとナガサキに対する原爆の投下という犯罪は唯一、米国が実行したことだ」

ライシの甲高い声を遮《さえぎ》るように、興奮した群衆は何度も「米国に死を！」とリズムに合わせて声を上げた。

原爆投下の他に挙げた事例は具体的に何を指しているのか、私にはよく分からなかった。米国がひどいことをしているという印象を植え付ける狙いだったのだろう。

一方で、イランには米国によるクーデターを起こされた過去が確かにあり、いまでも米国に抱く不信を象徴する事件として受け止められている。

きっかけは、石油をめぐる問題だった。

歴史的にイラン（当時の国名はペルシャ）は一八五六〜五七年の戦争で英国に敗れたあと、南部を中心に占領され、しばらくの間、英国の強い支配下に置かれていた。一九〇八年五月にイランで初めて大規模な油田が発見された際も、採掘や石油の販売といった利権を英国に握られた。

一九五一年四月に国会議員から首相となったモハンマド・モサデグが主導し、英国から利権を取り戻す目的で石油産業の国有化を決めた。

これに対して英国は猛反発し、さらに、米国も対応に乗り出した。米国は、英国とモサデグ政権の間で高まる緊張を放置できない危険な状態だと受け止めたのだ。また、米国はソ連の封じ込めを図っていて、モサデグ政権に近づく共産主義勢力を警戒していた。

ここで米英は、モサデグの追放で一致する。

一九五三年八月だった。米国の中央情報局（ＣＩＡ）と英国の秘密情報部（ＳＩＳ）の計画に基づくクーデターが成功した。モサデグは逮捕され、同政権は崩壊した。

イランはこの事件を挙げ、米国が掲げる民主主義を「偽善」だと非難し、信頼できない理由のひとつに挙げているのである。

ライシが大統領になったことは米・イランの間にとどまらず、世界にとっても新たな問題を生んでいくことになる。

2022年11月、米国大使館人質事件を記念する式典で、参加者たちは「米国に死を！」と叫んだ

第四章

瀕死の核合意

テヘランにある「イスラム革命・聖なる防衛戦博物館」には、
核物質ウランの濃縮に使われる遠心分離機が展示されている

「核合意」紆余曲折

イランでエブラヒム・ライシが新しい大統領になったことで新たな障害が生じるようになった。なかでも世界的に重大なのが、「核合意」をめぐる問題である。

核合意は二〇一五年七月にイランと米国や英国、フランス、ドイツ、ロシア、中国の六カ国に加えて、交渉の調整役である欧州連合（ＥＵ）の間で結ばれ、二〇一六年一月に履行された。歴史的と言われた核合意の背景や中身はあとで述べる。合意の内容を一言にすると、次のようになる。

核兵器の製造を疑われてきたイランが核開発を制限する代わりに、国連や米国はそれまで科していた経済制裁を緩める——。

しかし、米国の大統領ドナルド・トランプは二〇一八年五月に核合意から離脱し、三カ月後の八月以降、イランに対する制裁を再開した。イランは対抗策として二〇一九年五月から合意で約束した制限を超える核開発に踏み切り、その後も推し進めていた。

核合意の実効性が失われるなか、イランが核開発を際限なく拡大させる気配を前に世界で緊張は高まっていた。

二〇二一年に節目が変わる。一月、米国のジョー・バイデン政権が発足すると、四月に核合意の立て直しを目指す協議が始まった（以下、核協議）。

核協議の舞台はオーストリアの首都ウィーンで、米国を除く英仏独中ロの五カ国とEUの代表が米・イランを仲介する形で進められた。六月までの三カ月間、イラン側の大統領はハサン・ロウハニだった。米国と対話することを重視していて、核合意を締結させた本人である。このため、核協議がはじまると交渉の決着が近づいた時はあった。

その後、イランでは八月に政権が交代した。どういう姿勢で核協議に臨むのか。十一月末、ライシが大統領となって以来、初めての核協議を迎えることになり、私はウィーンへと向かった。

寒さに耐えて張り込む

二〇二一年十一月二十九日の正午前にウィーンに着き、核協議の会場となっているホテル・パレ・コーブルクに足を運んだ。ホテルは街の中心部にあり、建物は白を基調とした荘厳な造りだ。もとは一八四〇年代に宮殿として建てられたとホームページに紹介されている。

外はすでに真冬の寒さだ。ただ、私たち報道陣はホテル内への立ち入りを禁じられ、向かい側の広場に仮設された白いテントに行くよう案内された。そこはプレスセンターとして開放されていて、持ち物検査を受けて入った室内はバスケットボールのコート一面分くらいの広さがあり、暖房が効いている。

すでに欧米や中東各国から記者やカメラマンが集まってきていた。受付で名簿を見せてもらうと、二百人余りの名前が載っていた。会場の前方に置かれたテーブルの上には、コーヒーのドリップマシンや瓶入りの炭酸水が用意されている。私はコーヒー

2021年11月、核協議の舞台となったウィーンにはプレスセンターが特設され、世界各国から集まった報道陣に開放された

を片手に、電源タップの置かれた長机の椅子に座った。ふと、斜め右前の机でパソコンを開き、ツイッター（現X）の画面を眺める男性の姿が目に入った。

話しかけると、米紙ウォール・ストリート・ジャーナルの記者ローレンス・ノーマンだった。ノーマンはイランの核問題に関する記事を数多く配信していて、彼の「特ダネ」に何度も驚かされてきた。そんな「スター記者」と名刺を交換できた私は、有名なスポーツ選手に会えた子どものように喜んだ。

一時間ぐらい会話をしたあとは外へ出て、ホテルを出入りする核協議の参加者を待った。終わる時間は読めず、「張り込み」をするしかない。太陽は沈み、気温は〇度近い。登山用のフリースに厚手のコート、革の手袋を身につけていても、すぐに体の芯まで冷え切った。私のまわりでは各国の記者たちが同じように体を震わせ、じっと待っている。ニュースを世界に届ける熱を感じてこちらも気合が入った。

無謀なイラン側の要求

午後五時半すぎ、急にざわつきはじめた。誰かがホテルから姿を現したようだ。テ

5カ月ぶりに再開した核協議の初日が終わったあと、EU欧州対外活動庁の事務次長、エンリケ・モラが報道陣の取材に応じた

レビカメラのライトに照らされたのは、長身の白人男性だ。

「モラ、モラ。こっちに来て一言、お願いします」

その声に助けられ、EU欧州対外活動庁の事務次長エンリケ・モラだと知った。鉄柵越しにモラを囲むのは、身長百六十四センチの私より体格のいい記者たちだ。私は一眼レフカメラを腹の下に抱えて体をかがめ、彼らの腰のあたりを縫うようにして前に出る。そこで見えたモラの表情に、笑顔はなかった。眉間にしわを寄せ、五カ月ぶりに再開した核協議の様子を語った。

「今後の数週間で重要なことが実行できそうだ。ただ、切迫感はある」

焦りは当然だろう。相手は米国を敵視するライシ政権である。核協議の長期化を予感した私は、イランの代表団が泊まるインターコンチネンタル・ホテルに急いだ。徒歩十分の道のりを走り、自然と汗ばむ。

ロビーで待っていると、イランの地元メディアやロイター通信のイラン人記者が集まってきた。午後六時すぎ、外務次官のアリ・バゲリが黒塗りの車で正面玄関に乗り付け、私たちの方に近づいてきた。ホテルの受付前にあるシャンデリアの下で、白髪にひげをたくわえたバゲリを囲む。

初日を終えた核協議の感想を聞くと、彼は険しい顔を崩さないまま、ゆっくりとした落ち着いた声で「前向きな内容だった」と総括したあと、次のように述べた。

「核合意の復活にまず必要なのは、米国による違法な制裁の解除だ。また、米国は二度と合意から離脱しない、新たな制裁を科さない、という保証をすることも必要である」

彼の発言を聞いた私は当初、その重大性を理解できていなかった。その後、様々な報道や分析を読んでいくうち、ＥＵのモラが「切迫感」を抱いた理由が分かってきた。イランが米側に示した要求の内容は「無理筋」だと受け止められるくらい、そのレベルは高く設定されていた。

ひとつには、バイデン政権が核合意の復活に先立ち制裁を解除すること。しかも、制裁の全てを一斉に終わらせるよう求めていた。これを米国がそのままのむことは極めて考えにくい。理由は、制裁の種類にある。

イランに対する米国の制裁はこの時、千五百件余りあった。もちろんイランの核活動に関連して科された制裁はあるが、それ以外にも「テロ支援」や「人権侵害」を理由としたものが含まれていた。イスラム革命防衛隊もそのうちの一件だ。それらの制裁は核合意が復活したところで自動的に解除されるものではない。

さらに、核合意の効力が元に戻った場合、そのあとに二度と破らない保証を与えるよう要求した点も、米国には応じられない事情がある。核合意には法的な拘束力がない。バイデン政権の独断が将来の政府の判断を縛ることになり、無理な話なのだ。同じような理由で、バイデン政権が将来的に、イランの要求どおり新しい制裁を科さないと断言するのはほとんど不可能である。

こうした要求の中身はイランが真剣に交渉する気があるのかどうか疑われ、実際にこのあと核協議は中断と再開を繰り返すことになった。

テヘランに戻った私は核協議の動きを追う外交関係者に接触して、イラン側の態度について意見を聞いた。

「自国の正義を疑わないイランという国家らしさが見受けられる。要求は自分たちの考える正義の実現に不可欠で、他から無理筋だと言われても押し通そうとするでしょう」

核合意の効力を骨抜きにした米国こそが、いまの事態を招いたのは確かだ。自分たちの「正義」を疑わないイランがやすやすと要求を下げそうにはない。発足してまもないライシ政権は核協議を進めていくうえで弱腰と受け止められる態度を見せるわけにはいかないのである。彼は続けた。

「イランにとっては誇りをかけた闘いであるうえ、米国に裏切られた被害者という意識もあのような強気な要求に繋がっています」

「仲間」の中ロ

イランを強気にさせるのは頼もしい「味方」、つまり中国とロシアの存在も大きい。核協議をめぐり、中ロはイランを支持する立場だからである。

「仲間」としての振る舞いがよく表れていたのは、イランの核問題が議題になった国際原子力機関（IAEA）の理事会だ。

IAEAは一九五七年七月に国際機関として設立された。大きな役割は、核の平和利用を各国に促す一方で、核関連の活動や核物質が軍事に使われていないことを主に査察によって確かめることだ。

IAEAとイランは、その核物質の問題をめぐり対立してきていた。二〇一九年十一月、IAEAはイラン国内の三カ所の場所でウラン粒子の存在を把握したと明らかにした。問題とされたのは、ＩＡＥＡがその場所やウランの存在に関してイランから報告を受けていなかったからである。

各国が敏感に反応する理由は、ウランを濃縮すれば核兵器に転用されるからだ。自然界にあるウラン鉱石には、ウラン二三八とウラン二三五が含まれる。巨大なエネルギーを生む核分裂が起きやすいのはウラン二三五で、割合は〇・七％にとどまる。

そこで、ウラン二三五を遠心分離機によって濃縮する。日本でもなじみ深い原子力発電所の燃料には濃縮度三～五％のウラン二三五が使われている。濃縮度が二十％未満は「低濃縮」、二十％以上は「高濃縮」にそれぞれ分類され、濃縮度を二十％まで高められると、核兵器に転用できる濃縮度九十％まで比較的容易に到達できるとされる。

つまり、ウランが核兵器の原料になる以上、その所在を不透明なまま放置することは許されないのだ。

ＩＡＥＡはイラン側に対してウランが存在する経緯や理由について説明を求め、二〇二二年三月にはイランが調査に協力することでひとまず合意していた。しかし、イランはいつまで経ってもＩＡＥＡが納得する回答をしなかったとされる。

そして、同年六月にあった理事会で、ＩＡＥＡの事務局長ラファエル・グロッシは

「イランから科学的に信頼できる説明はない」と述べ、公然と批判した。これを受け、米国や英国、ドイツ、フランスは理事会で、イランの対応が不十分だとして非難する内容の決議案を出し、理事国三十五カ国のうち三十カ国が賛成して採択された。米欧にとってはウランの問題が解決しない限り、核協議を進めるわけにはいかない。

ところが、中国とロシアは非難決議案に反対、要するにイランを擁護したのだった。完全に孤立することを免れたイランは勇気づけられたに違いない。そうだとしても、ウランをめぐる問題は未解決のままで、そのあとも核協議の進展に影を落とすことになる。

疑念が膨らむ濃縮ウランの使い道

ここで、「核」をめぐる歴史について触れておきたい。

米国は「マンハッタン計画」と呼ばれる核兵器の開発計画を進め、一九四五年七月に核爆発実験を人類で初めて成功させ、翌八月に広島と長崎に原爆を投下した。

当時は米ソ冷戦下で、ソ連も一九四九年八月に核爆発実験に成功すると、核兵器の開発競争は激しくなる。核戦争の恐れは増し、人類滅亡の危機が高まった。

一九五三年十二月、米大統領ドワイト・アイゼンハワーは「平和のための原子力」（Atoms for Peace）と題する国連演説で、核を国際的に管理する必要があると訴えた。背景には、米国がもはや、核兵器やその技術を独占できる時代は終わり、各国に広がる懸念を深めたことがあった。一方、アイゼンハワーは核技術を「奇跡のような人類の発明」と肯定的にも捉えて、平和目的の利用策を探ると誓った。米国はこれを境にして、各国に核開発の技術や核物質の提供をはじめ、原子力発電所の建設が各地で進むことになる。

そして、一九五七年三月には、米国とイランが原子力協定に署名し、イランは核開発に着手した。

同年七月に設立されたのが、「核の番人」と呼ばれるＩＡＥＡである。ＩＡＥＡの役割は、一九七〇年三月に発効した核兵器不拡散条約（Treaty on the Non-Proliferation of Nuclear Weapons。以下、ＮＰＴ）と深く結びついている。ＮＰＴは核兵器の不拡散、核軍縮、核の平和利用を三つの柱とし、ＮＰＴ締約国がこれらの実現に向けてＩＡＥＡと結ぶのが「保障措置協定」だ。

ＩＡＥＡは保障措置協定に基づき、ＮＰＴ締約国から核活動に関わる施設や機器、物質についての報告を受ける。主に査察を通じて軍事に転用されていないことを確かめる役目がＩＡＥＡにあるのは、すでに述べたとおりだ。

ＮＰＴの大きな特徴として、核兵器の保有を認める国と認めない国を分けている点がある。核兵器の保有が認められているのは、一九六七年一月一日までに核実験に成功した国、すなわち米国、ソ連（現ロシア）、英国、フランス、中国の計五カ国だ。一方、それ以外の国は核兵器の保有を認められていない。

他方、ＮＰＴ未加盟のインドやパキスタン、イスラエル、そしてＮＰＴ脱退を宣言している北朝鮮の計四カ国は核兵器を保有していると広く認識されている。

イランはＮＰＴが発効したその年に批准していて、核はあくまで平和目的で利用しているはず、だった。しかし、疑惑が生じる。

ひそかに核兵器をつくるつもりだ――。

発端は、イランのイスラム革命体制に反対する勢力による「暴露」だった。二〇〇二年八月、武装組織「モジャーヘディーネ・ハルグ」（ＭＫＯ）の政治部門「イラン国民抵抗評議会」が、ウランの濃縮に使われる施設がイラン中部の街ナタンズで建設されている、などと明らかにしたのだ。

MKOを主に組織しているのは革命体制による弾圧を受けて国外に逃れた人たちだ。そうした「部外者」がイランの核に関する機密を独自に得られることは考えにくい。このため、情報源はイランと敵対するイスラエルだという説が専門家の間では有力だ。この時も問題視されたのは、イランは暴露された核施設についてIAEAに報告しておらず、保障措置協定に反していたことだった。ここから、イランは秘密裏に核兵器を開発しようとしているのではないか、という疑念に繫がったのだ。

疑惑が暴露された時、イランはモハンマド・ハタミ政権だった。ハタミは「文明間の対話」を唱えていて、米国との関係改善に意欲的だったこともあり、二〇〇三年十月、ウランの濃縮を停止すると約束した。

ちょうど同じ時期に最高指導者のアリ・ハメネイは、核兵器の製造や保有、使用を禁じる内容の「ファトワ」と呼ばれる宗教見解を公表したとされている。

最高指導者は国の重大政策をめぐる最終決定権を持つ。ハメネイはいまに至るまで核兵器に関するこの見解を崩していないうえ、演説では繰り返し、核兵器を製造したり保有したりする意思はないと表明している。

ただ、ファトワは取り下げることが可能という説もあり、イランが核兵器の開発に踏み切る可能性がゼロとは言い切れない。

濃縮したウランを核兵器に使うのか、原発や医療に使うのか。使う側の意図によって異なる。その意図が読みにくいイランは、核兵器を開発している疑いが持たれやすいと私は考えている。もしくは、意図を掴ませない思惑がイランにはあるだろうとも思われ、その理由はあとで検討したい。

第三国まで影響する二次制裁

秘密の核施設が暴露されたあとに進んだように見えた米・イランの歩み寄りは、イランでの政権交代を挟んで終わりを迎えた。二〇〇五年八月、保守強硬派のマフムード・アフマディネジャドが大統領に就任すると、二〇〇六年二月にはウランの濃縮を再開させ、その後、濃縮度を二十%まで高めたのだ。

これに対し、国連は同年十二月から二〇一〇年六月までの間に四本の制裁決議を採択し、核開発を制限するようイランに圧力をかけた。

こうしたなか、衝撃の事実が明らかにされる。

二〇一一年十一月、IAEAは「信頼できる情報」として報告書を公表した。

「イランは二〇〇三年末までの段階で、核爆弾の起爆装置に関連する活動を実施した」

つまり、イランが核爆発を起こす実験をしていたのではないかという見方が強まったのである。

そして、二〇一一年十二月、米国のバラク・オバマ政権はイランに「二次制裁」と呼ばれる、一段と威力のある制裁を科すと決めた。二次制裁の特徴は、イランを対象とした制裁にもかかわらず、その範囲が第三国に及ぶ点にある。

たとえば、日本企業が制裁対象のイランの企業や銀行と取引したことが分かり、米政府に制裁違反と認められた場合、巨額の「罰金」を科されることがあるのだ。実際、二〇一三年には、制裁に違反したと認定された邦銀が、当時のレートで二百四十五億円を米側に支払っている。

制裁違反となれば米国の銀行が使えなくなり、米ドル決済の枠組みから弾き出されることにもなり得るのだ。

どういう個人や企業、団体が制裁の対象なのか、誰でも確認することはできる。米財務省の外国資産管理室（ＯＦＡＣ）が「特別指定国民および資格停止者（ＳＤＮ）」というリストにして、ホームページで公開しているからだ。そこには、個人の名前や生年月日、性別、企業名や所在地といった項目がびっしり書かれている。

イラン関連では、最高指導者のハメネイや大統領のライシ、中央銀行や一般の銀行、革命防衛隊、国防省や情報省、石油省のほか、原子力や鉄鋼、海運の関連企業が載っている。とりわけ経済に大きな打撃を与えるのが銀行に対する二次制裁で、国をまたぐ決済や送金を担うイランの銀行すべてがその対象とされている。

国際経済から弾き出されたイラン

制裁はビジネスにどれくらいの影響を及ぼしているのか、テヘランに事務所を置く日本企業の幹部に話を聞いた。

「制裁の仕組みは複雑で、対象の件数もとても多い。誰と取引した場合に違反と見なされるのか、はっきりと分からない。米政府は意のままにやりたい放題、という感じです」

制裁の対象外だと判断した取引先が実は制裁の対象者と繋がっていた場合、制裁違反を問われることがあるという。彼はピスタチオの殻を両手で割って実を口に入れたあと、渋い顔で続けた。

「企業コンプライアンスを重要視することが当然となったいま、制裁の恐ろしさを分かったまま、イランのために多大な手間やリスクを取ってでも商売しようと判断する上役はいません」

それは日本に限らず、各国の企業にも共通する認識だろう。


国際取引を担う銀行が制裁の対象であれば、日本はもちろん、各国の銀行からイランに送金することは事実上、不可能だ。また、私が日本から財布に入れたまま持ってきたビザやマスターといったクレジットカードも、使いものにならない。

私たち外国人がイランで合法的にお金を使うほとんど唯一の手段は、米ドルやユーロといった外貨をそのまま手で持ち込み、現地の通貨リアルに両替することだ。他に「裏技」があるという話も聞く。

イラン側は制裁を恐れる外国企業に取引を避けられているうえ、金融機関を通じて外貨を手にすることも困難な状況にある。それは、国際経済という血の流れを抑え込まれ、窒息していく様を見るようだ。

そうした苦境は数字にも出た。国際通貨基金（ＩＭＦ）によると、イランの実質国内総生産（GDP）成長率は米国による制裁を挟み、二〇一一年の二・六％増から二〇一二年には三・七％減に転じ、二〇一三年も一・五％減だった。

核開発のせいで制裁を科され、経済はどんどん悪化していった。

わずか二年で合意は決裂

国民の不満が強まるなか、二〇一三年六月の大統領選でハサン・ロウハニが初当選した。選挙の公約に核開発をめぐる問題について交渉によって解決し、制裁を解除させると掲げていた。

ここで、オバマとロウハニの政権が重なり、二〇一五年七月に核合意の締結に至ったのである。核合意の正式名称は「包括的共同行動計画」(Joint Comprehensive Plan of Action：頭文字を取ってJCPOA）で、イランは主に以下の行動を約束した。

・十トン余りあった濃縮ウランを三百キロ以下に減らす
・ウランの濃縮度は二十％まで高めていたものに上限を設け、三・六七％とする
・ウラン濃縮に使う遠心分離機を約一万九千基から六千百四基へ削減する

・ＩＡＥＡによる核施設に対する抜き打ち査察を受け入れる

当時、イランには核爆弾一発分に相当する濃縮ウランを二～三カ月で製造できる能力があるとみられていた。「ブレークアウト・タイム」と呼ばれるこうした期間を一年に延ばすのが核合意の主眼だった。

ここで疑問が湧く。どうして世界はイランの核開発を必死に制限しようとするのか。答えは、イランがもし核兵器保有国になればどのような事態になるのか、考えることで見えてきた。

まず、イランと敵対するイスラエルは安全保障上、脅かされる。イスラエルと友好な関係にある米国は、どんな手段を取ってでもこうした事態を防ぐ必要があった。

さらに、中東の他の国、とりわけイランと緊張した関係にあるサウジアラビアが核保有に向けて動くという見方は、専門家の間で示されている。その場合、事実上の核兵器保有国のパキスタンがサウジアラビアに手を貸すと言われている。仮にそうなれば、中東地域の安定はより一段と損なわれ、ＮＰＴ体制は揺らぐことになるのだ。

二〇一六年一月に核合意が履行されると、イランに科されていた制裁は緩み、米欧や日本の企業はビジネスを再開させた。IMFによると、GDP成長率は二〇一五年に一・四％減だったが、二〇一六年には八・八％増へと急拡大し、二〇一七年も二・八％増だった。

しかし、二〇一七年一月に発足したトランプ政権が二〇一八年五月に核合意を離脱すると、同年八月から制裁を再開したのだ。

離脱の大きな理由には核合意の「欠陥」にあった。イランに制限をかけた対象はあくまで核に関連する活動に限られ、ミサイルの開発をはじめ、中東各地の「親イラン勢力」に対する支援は野放しのままだとトランプは考えた。そして、米国は「最大限の圧力」と名付けた政策で、イランに様々な経済制裁を科すようになったのだ。

イランは再び原油の輸出も事実上禁じられ、財政の柱を失って歳入を大幅に減らすことになると、対抗の意思をウラン濃縮という形で表に出す。濃縮度を二〇二一年一月に二十％へ、四月には六十％へと高める作業に着手した。

この二つの時期には米国による圧力に対抗する意味が込められていた。一月にバイデンが新大統領に就任し、その意向に沿って四月に核協議が始まったからだった。こうしたところに、イランが制裁に伴う経済的な損失を被っても、核開発をやめない理由が見えてくる。

表向きの理由は核開発が原発に必要だという言い分だ。原発を稼働させることができれば、これまで発電に使ってきた原油や天然ガスの量が減らせる。そして、削減できた分を輸出にまわせば利益になる。人口が増えていることも、原発を求める要因になる。

また、核を扱えるのは世界でも限られた技術的な先進国であり、その一員だという「誇り」が背景にあるという声も聞かれる。イラン側が言うとおり、医療の面でも必要なのだろう。

しかし、もっとも重要だと私が考えるのは外交面だ。ウランの濃縮度を高めることは相手国を脅して、主張や要求を聞き入れさせる効果が期待できる——。

つまり、外交カードとしての核開発である。日本でも一部で議論されることはあるが、核兵器を製造できる「能力」は、核抑止力が潜在的にあることを意味する。イランにはそういう考え方が核開発、とりわけウラン濃縮を続ける動機になっていると、私は理解している。

こうしたことから、外交カードのために高濃縮ウランの製造を推し進め、その使途についての意図は掴ませないという思惑があるのだと思えてくるのだ。

再合意に待ったをかけたロシア

核協議は確かに前進していた。二〇二二年二月半ばに取材先から得た情報では、イラン政府は核合意を復活させる──。要するに核協議を決着させる意志をほとんど固めたことを意味する。この情報を裏付けるように、同月二十八日に核協議が再開されることになり、私は再びウィーンへ向かった。

プレスセンターには高さ五十センチぐらいのひな壇がつくられ、核合意の略語である「JCPOA」と書かれた白の演台が設けられていた。記者会見場に違いない。ここで近いうちに米国やイランの当局者が並び、会見する様子が私にも想像できた。歴史的な瞬間に立ち合えるかもしれない。そう直感した私もカメラで試し撮りをして、室内の明るさや距離を確かめておいた。

核合意の復活を確信している表れだろう、各国から訪れる記者やカメラマンの数は日を追うごとに増えていった。私は「その日」に向けた長行の原稿を書いてパソコンに保存しつつ、ひとまず三月三日付の紙面で「イラン核協議、大詰め」という見出し

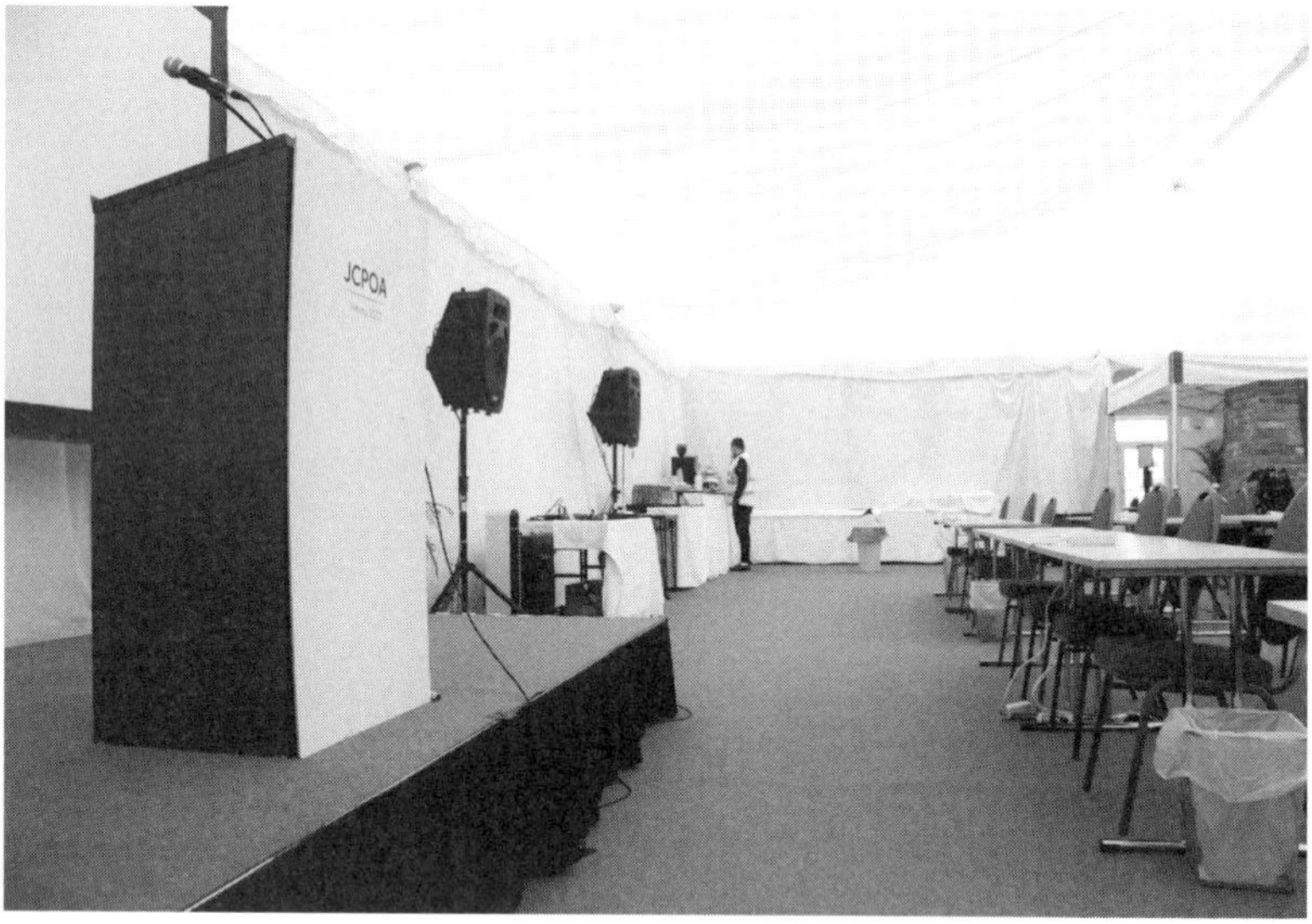

2022年2月、プレスセンターには記者会見用の演台が新たに設けられていたが、使用されることはなかった

の記事を出した。

ところが、その一週間前の二月二十四日にはじまったロシアによるウクライナ侵略が、核協議の進展を阻むことになる。ロシアはウクライナに侵略したあとに米国から科された制裁を不満として、三月五日に外相セルゲイ・ラブロフは米国に対し、イランとの間での貿易取引に制裁を適用しないよう求めた。

「イランと自由で完全な貿易をはじめ、経済や投資、軍事的技術の協力といったロシアの権利が妨げられないよう、米国に対して書面による保証を要求した」

この発言を受けて、英紙ガーディアンはすぐに記事を配信した。

「ロシアは核協議を人質に、ウクライナをめぐる欧米側との戦いに挑むつもりだ」

核合意の参加国であり、交渉国の一角であるロシアの協力がなければ、核協議が前に進むことはおろか、決着はあり得ない。

ロシアはこの時、ウクライナで思い通りの戦果を上げられていなかった。苦戦の背景には欧米諸国によるウクライナ支援があった。ロシアが核協議を「人質」に取ったのは、そうした支援を食い止め、戦況を有利にしたいという意図の表れだった。

私は前回の記事の内容を大きく変える必要に迫られ、三月十三日付で書いた記事の見出しは「イラン核協議、一時中断　仲介のロシアがブレーキ」となった。

テヘランに戻り、外交関係者に話を聞いた。

「ロシアに背いて米欧側に寄ろうとすればひどい目に遭うぞと、イランに分からせる意味でも効果はありました。イランにとってロシアは頭の上がらない怖い兄貴のような存在なのでしょう」

ロシアがイランを「恫喝」した理由は、欧米諸国と対峙していくうえで自陣に取り込んでおく思惑からだろう。原油という実利を損ないたくなかった側面も考えられる。

核合意の復活に伴って制裁が緩めば、イランは原油の輸出を再開できる可能性が高い。そうなれば、同じ産油国であるロシアにとってイランは国際市場で競合する「商売敵」に転じる。ロシアはこの時、最大の輸出先だった欧州各国を中心に原油や天然ガスの取引先を失っていた。商売するうえでの障害をこれ以上増やしたくなかったのだ。

核協議はついに行き詰まり、以来、私が取材でウィーンを訪れることはなかった。

核合意が瀕死の状態であることはすなわち、米国の制裁が続くことである。それでも、イランは核開発を止めることはない。

そうした状況で真っ先に苦しめられるのは、一般の人びとである。

第五章

制裁がもたらした影響

パン工房では職人歴25年のマフディ・サデキ（40、写真左）が
手際よくラバーシュを焼き上げる。値上げに伴う売上減を心配していた

おびただしい数の白い紙

米国による経済制裁がイランにどのような影響を及ぼしているかという問題は、私が在任した二年三カ月の間で継続して取り組んだ取材テーマである。

二〇二〇年十一月、現地に赴任して一週間後、首都テヘラン北部の住宅街にある青果店を訪れた。どこの街角にもあるふつうの店だ。オレンジにバナナ、ザクロ、トマトやきゅうり、アボカド――。こぢんまりした店の商品棚には山積みにされたり、ビニール袋に詰められたりした果物や野菜が並んでいた。どれも採れたてらしく、外から入る光を反射している。

ところが、店主の男性（三八）は暗い顔をしている。理由は値上がりによる客離れにあった。

「一日あたり三百人は来ていたお客さんはいまや半分、いや、百人も来ない日があるかもしれないなあ」

値段はこの一年の間に二〜四倍以上になったという。オレンジを例にすると一キロあたり五万リアルが二十三万リアルへという具合だ。店主に値上げの構図を聞いた。農家が畑で使う肥料の価格、野菜や果物を収穫したあとに詰めるプラスチック製のパックの代金、畑から市場へ、市場から店頭へ運ぶ運送費といったあらゆるコストが上がっている。しかも、肥料やパックは輸入に頼っていることが多いという。

そもそも経済制裁の影響によって全体の輸入量そのものが減り、モノが不足している。それに伴って幅広い商品やサービスといった価格を全体的に押し上げているのだ。

さらに、対米ドルの為替レート（実勢）の暴落が追い打ちをかける。私がイランで暮らしていた間に一ドルは十五万リアル程度が四十万リアルまで下がり、離任直後の二〇二三年二月には五十万リアルと最安値を更新した。輸入品に対する支払額は膨らみ続けていることになり、価格に転嫁されているのだ。

レジの真横にある陳列棚を囲う金属板には、二十～三十枚の白い紙がゴム製のクリップで留められていた。何の紙なのか聞くと、店主はため息をついて言った。

「いつになったら、支払ってくれるのでしょうか」

紙はレジで打ち出したレシートで、客の「ツケ」の金額が記録されているそうだ。常連客のなかには給料が大きく減ったり、支給が止まったりするケースが増えているという。ツケはたまり続け、いまでは金属板そのものがレシートの紙で見えないくら

テヘラン北部の青果店には、商品代を払えなかった客の「ツケ」の金額を記録したレシートが保管されていた

いの量になっている。

家計の負担が重くなる一方なのは私も実感していた。自宅から徒歩五分の所にスーパー「デイ・マート」がある。日常で必要なものは何でもそろう便利な店だ。

ナンと呼ばれる平たいパンを私は気に入り、六枚入りの一袋を一週間に一回、朝食用に買っていた。しかし、これも現地で生活している間に計三回値上げされ、当初の四万リアルから十二万リアルになった。また、鶏肉や牛肉、卵、牛乳やバター、ヨーグルト、チーズといった食卓に欠かせないものも例外なく値段が上がった。

物価の上がり具合を見ると、政府の統計では年に一・五倍程度とされているが、日常で体感するのはやはり二〜四倍か、モノによってはそれ以上である。

私たち現地に住む外国人はドルやユーロをリアルに両替していることから、リアルが暴落している「おかげ」で物価の高騰分を相殺するくらいのドルの価値は保たれている。このため、実質的な支出は大きく増えてはいない。

それでも、レジで会計をするたびに驚くほどの値上がりの幅と頻度で、果汁百%のジュースやコーヒー豆、ピスタチオ、ドライフルーツといったお気に入りの品はもはや「贅沢品」になり、買い控えるようになっていった。

奪われる生活の楽しみ

地元の人たちの生活は外貨や為替レートとは縁遠い。物価の高騰に対する怒りや不満が相当に高まってきていると感じたのは、貧困層が多く暮らすテヘラン南部の住宅街を訪れた時だ。

細長い道路が伸びる路地裏の一角にある工房から、焼きたてのパンの香りが漂ってきた。ラバーシュと呼ばれる薄い生地のパンで、イランでは食卓やホテルの朝食によく出る。きゅうりやトマトを添えたり、バターやハチミツをたっぷり塗ったりする。千切って煮込み料理に染みこませると、生地がしなやかになってうまさが引き立つ。

しかし、こうした日常の食べ物も例外なく値段が上がっている。原料である小麦そのものの価格が急騰しているのだ。ロシアがウクライナに侵略をはじめたあとに小麦の供給量が世界的に減ったことも影響しているとみられる。さらに、国産は水不足で不作となり、供給減に拍車をかけていた。

イラン政府はこれまで、小麦の輸入業者やパン製造業者に補助金を割り当てて店頭

テヘラン南部のパン工房から、購入したばかりのラバーシュを抱えて出てきた女性

の価格を抑え込んでいたが、二〇二二年四月下旬にいきなり打ち切ると発表した。

政府は理由について、補助金によって割安になった小麦が密輸出され、不当な利益を得ている業者がいるためだと説明したが、実際は制裁の影響による財政難が原因だと多くの国民は見抜いていた。補助金が削られると、パンやパスタの店頭価格は一気に三倍へ跳ね上がった。

二日分のラバーシュ六枚を腕に抱えてパン工房から歩道に出てきた主婦サウアズ・ヘイリ（二八）は、八歳の長男と五歳の長女を連れていた。パンが値上げされたことは生活に大きな影響を及ぼしているという。

「節約してどうにかやりくりしています。状況がこれ以上悪くなれば、生活は必ず行き詰まります。子どもたちの将来が心配です」

食費を確保するため、外食や家族旅行といった楽しみを我慢し、子ども服の買い替えを控えているという。生活の楽しみを奪われ、子どもの未来も安心できない。自宅に向かう彼女の後ろ姿は背中が丸まり、足取りが重そうだった。

欠品だらけの医薬品

ただ、我慢や節約で済む話であれば、どうにかして耐えればいいのかもしれない。そういうわけにもいかない状況があると思い知らされたのは、私の家族が病気になった時である。

新型コロナウイルスの流行がやや落ち着いた二〇二二年三月二十七日、私は妻と七歳になる長女、一歳七カ月を過ぎた長男をテヘランに呼び寄せた。長男は四月五日から地元の保育園に通わせた。保育の時間帯にペルシャ語の他に英語を使うと聞き、地元の文化に触れつつ、英語を学ぶいい機会になると考えた。

ところが、通園をはじめてから三日目の夜に発熱し、三十九・五度まで上がった。日本から持ってきた解熱剤を使うと熱は下がったが一時的で、すぐ四十度近くに戻った。何かのウイルスや病原菌をもらってきたのだろうか。ここまでは、日本の保育園や幼稚園でも珍しくないことであり、一〜二日様子を見ればよくなるだろうと思っていた。

しかし、翌日以降、長男は空腹を訴えている割におかゆやスープを作ってもほとんど口にせず、下痢もするようになった。日中はずっと不機嫌でギャンギャンと泣きわめき、夜は二〜三時間おきに目を覚ます。日本で体調を崩すことはほとんどなく、崩したとしてもあまり長引かなかったが、食中毒か、それとも何かのウイルスに感染したのかもしれない。

私と妻の心配は限界を超えた。発熱から四日目の朝、総合病院のデイ・ホスピタルに連れて行き、地下一階の小児科に向かった。薄暗い廊下の壁に沿って置かれた長いすでは、高齢者のほか、保護者に抱かれた赤ちゃんがずらりと待っている。ようやく案内された診察室に白衣姿の大柄な男性医師が入ってきた。

まず問診だ。だが、英語でうまくやり取りできず、長男の様子は医師に正しく伝わらなかった。触診ではベッドに横にさせた長男の腹部を数秒なでた程度で、あれで何が分かるのだろうかと不安になった。

医師は「一般的な風邪ですね」と診断し、計三種類の解熱剤と整腸剤を処方すると説明した。机の上にあったメモ用紙を手に取り、ボールペンで薬の種類を書いてスタンプを押す。「こんな簡単なメモが処方箋か」とげんなりしつつ、その紙切れを院内の薬局に出した。

長男が受診した総合病院デイ・ホスピタルに処方薬はなく、病院の外にあった薬局を4軒まわることになる

落ち込んでいた気分は絶望感に変わる。シロップの整腸剤は在庫がなかったのだ。病院の外に出て別の薬局を探す。一軒目、二軒目、三軒目。目に付いた店舗に入ってみるが、どこも在庫を置いていない。ようやく四軒目で処方薬を見つけられた。

後日、改めて薬局を取材で訪れると、販売員のカーベ・エスラムドスト（二七）が言った。

「薬不足は常態化し、在庫が切れてもすぐに補充できません。やはり制裁の影響が大きいです」

本来、医薬品は人道上の観点から制裁の対象外ではある。ただ、外国の製薬会社は制裁を科されるリスクを極力避けようとするため、イランと取引するのを控える傾向が強いようだ。一方、国産の薬はあるものの、原材料の多くを輸入に頼っている。制裁のあおりを受けて国内の製薬会社も手元資金が少ないうえ、為替レートで通貨リアルの暴落もあり、原材料の入手が滞っていると聞いた。

病院を受診してから二〜三日が経ち、長男の体調は戻った。妻と胸をなで下ろすまもなくそのあとも、長男をはじめ、長女もたびたび、咳や下痢、発熱、体の発疹に悩まされることになった。現地で十カ月間の生活を送るなか、子ども二人で計五回、病院を受診した。日本ではほとんど病気をしない妻も異国の地での生活に慣れなかったせいか二回、発熱や腹痛で二〜三日、起き上がれないことがあった。

処方箋を出された時はそのたびに、薬局を二〜三軒まわってどうにか薬を手にできた。在庫がなく、処方薬とは異なる別の薬を渡されたこともあった。日本と異なる状況に戸惑い、薬を得られないかもしれない不安や恐怖は常に消えなかった。

バザールにあふれる中国製

前述の通り、米国による制裁を科されているイランは、日本をはじめとする西側諸国から経済的な関係を深めることを避けられている。そうした状況のなか、急激な勢いで中国とロシアに近づいている。

二〇二〇年二月、中国を発生源とする新型コロナウイルスに感染した高齢者二人がイラン中部のコムで死亡した、とイラン保健省が発表した。当時は新型コロナの感染が世界各国に広がりはじめた頃で、感染による死亡者の確認は中東ではイランが初めてだった。

二〇二一年二月、中部コムに出張した。国内外から多くの学生やイスラム聖職者、観光客が訪れる都市だ。さらに、観光案内人の男性（五〇）は「ここ数年、中国から訪れる人たちは増えていて、なかにはイスラム法学を修めようとする留学生もいた。観光客は聖廟を訪れたり、バザールで買い物を楽しんだりしていました」と話した。

バザールに行ってみて目に入ったのは、通路脇に並べられた雑貨の奥に積まれている段ボール箱の文字だ。漢字で「容量」「数量」とあり、「水壺」と読み取れる。店主の男性（五三）に尋ねると、文字は中国語で、段ボール箱には中国製のヤカンが入っていたと答えた。

「他にも爪切りやクリップ、安全ピン、スポンジ、電池など、本当に様々な中国製の商品を取り扱っています」

この地域でコロナの感染者と死者が初めて確認されたことを店主に聞いてみると、表情を変えずにこう述べた。

「観光やビジネスの関係で互いの国を行き来する人たちはかなり増えていた。ここで最初のコロナ感染者が出たことも、中国と強まった関係性を考えると当然だと思います」

中国製の製品はイランに多く流れ込み、日々の生活を支えている。日用品にとどま

中部コムのバザールには中国製品が数多く並び、段ボール箱に書かれた中国語の意味を読み取れるものもあった

らず、自動車や部品、冷蔵庫やテレビといった家電、スマホ、玩具や文具といったあらゆる物が手に入る。米国による経済制裁の影響で、中国製品の流入は過去二十年ぐらいの間に進んだようだ。一方、中国は米国に制裁を科されてもビジネスに支障が出ない金融機関を設けているとされる。イランは九千万人に迫る人口を抱え、その多くが働き盛りの世代であり、中国にとって市場としての魅力は大きいのだ。

米国を揺さぶる外交カード・中国

イランが中国と関係を深めているのは政治主導の側面が強い。

二〇一六年一月、イランの大統領ハサン・ロウハニと中国国家主席の習近平が両国の関係を強化することで合意した。二〇二一年三月にはイランの外相モハンマド・ジャバド・ザリフがテヘランにある外務省で、中国国務委員兼外相の王毅と会談した。

この時、私は国営テレビで会談の模様を追っていた。二人は、この先二十五年にわたって政治や経済、安全保障、文化といった幅広い分野で協力する内容の「協定」を締結することで合意した。なぜ、首脳の合意から五年余りが経ったいまなのか。イランと中国に共通するのが、米国と対立を深めたことである。

イランにとって中国に接近することは、米国を揺さぶる外交カードになるという計算が働いている。第四章で述べたように、協定を結んだ翌月に始まったのが核協議だ。核協議では中国がイランを支える立場にまわり、イランにとっては米国と交渉を進めるうえで大きな後ろ盾になる。

さらに実利の面もあり、イランは協定に基づき中国から四千億ドル規模の投資を受けると報じられている。その投資のおかげで見込まれるのが高速通信規格5G、空港や港湾、鉄道といった様々なインフラの整備だ。

一方、中国にとっては、習が二〇一三年に提唱した巨大経済圏構想「一帯一路」にイランを取り込めることになる。また、中国はイランから原油を安定的に、しかも市場価格より割安で買うことが囁《ささや》かれていて、実際にそのあと、大量に購入するようになった。

ただ、イラン側は中国に警戒心を抱いている。イラン外務省は協定の「解説書」にあたる五ページの文書を公開し、協定は互いが負うべき義務的な約束を記した「契約書」ではなく、単なる「行程表」だと説明した。協定を結んでも中国の支配力がただちにイランで強まることはない、という留保を付けたかったことがうかがえる。

こうした警戒心を呼び起こす好例はスリランカだ。スリランカは中国による投資がもとで巨額の負債を抱え、港の権益を長期的に明け渡すことになった。中国に仕掛けられた「債務の罠」にかかってしまったのである。

イランはただでさえ他国による干渉を嫌い、独立を重視している。中国の「罠」に気をつけるのは自然な反応だ。

他方、中国がイラン産の原油を購入することは、制裁下で売却先を失ったイランの支援だという議論もあるが、私は違う見方をしている。在テヘランの外交関係者は言う。

「中国がイランに支払う額は国際市場の価格からかなり割り引かれている。イランは足元を見られ、貴重な財産を買いたたかれている側面がある」

イランにとっては原油を国内で消費してしまうより中国に売れば歳入にはなる。かといって、イランの財政を十分に潤すのかどうか疑わしいのである。

その後になって分かったのは、中国はイランと協定を結ぶことで中東地域に足場をつくっていたということだ。

前段がある。二〇一六年一月、サウジアラビアがイスラム教シーア派の有力な指導者を処刑すると、猛反発したイラン側は民兵組織バシジのメンバーが中心となり、首都テヘランにあったサウジアラビア大使館を襲撃した。これを境にイランとサウジアラビアは断交し、中東地域に緊迫をもたらした。

それから七年が経った二〇二三年三月にようやく、イランとサウジアラビアが国交の正常化で合意した。外交関係の復活そのものよりも世界を驚かせたのは、中国が両国の間を最終的に仲介したことである。中国が積極的に動いているのは、米国が「脱中東」を進めているからだ。中国は米国と競争が激しくなるなか、イランとサウジアラビアを足がかりに中東で影響力を強める思惑がありそうだ。

中国は経済的な実利をもたらす「反米」のパートナーか。それとも、経済を足がかりに支配をたくらむ新たな覇権大国か。イランの人たちの間では中国への評価が現段階では定まっていないようだ。米メリーランド大学がイランで実施した千人対象の世論調査の結果によると、二〇二一年二月に国別の好感度を尋ねた項目では、中国について回答者のうち四十九%は「好ましい」、五十%は「好ましくない」と述べていた。

暴かれたドローン提供

イランとロシアは近年、軍事的な関係を強めている点に特徴がある。

二〇二二年七月、イラン国営テレビがテヘランの空港を映し出した。飛行機のタラップを降りて赤い絨毯の上を歩いてきたのはロシアの大統領ウラジーミル・プーチンである。

プーチンがイランに来た表向きの理由は、二〇一一年三月以降続くシリア内戦をめぐる協議だった。トルコを交えた三カ国は二〇一七年一月に協議をはじめ、断続的に話し合いの場を設けてきた。

しかし、この時のロシアにとって重要だったのは五カ月前にはじめたウクライナ侵略をめぐり、イランを自陣に取り込んでいると世界に発信することだった。そして、ロシアの狙いどおりの展開になった。

イランの最高指導者アリ・ハメネイはプーチンと会談し、北大西洋条約機構（NATO）を「危険な存在だ」と呼び、「もしロシアが主導権を取っていなければ、

2022年7月、大統領ライシ（中央）が、テヘランを訪れたロシアのプーチン（左）とトルコのエルドアンの手を取った。イラン国営テレビの映像より

彼らが戦争を仕掛けてきただろう」と述べたのだ。ウクライナ侵略の理由のひとつについて、ロシアは「ＮＡＴＯの東方拡大」という独自の論理を持ち出すが、ハメネイもそれに同調したのである。

こうした姿勢を見ていると、イランがロシアに無人航空機（ドローン）を提供していると疑われるのは無理もないことだと思えてくる。二〇二三年五月に米政府が明らかにしたのは、イランが前年九月以降にロシアに対して四百機以上のドローンを供与したことだった。しかも、イラン人の技術者がドローンの操縦方法をロシア軍人に訓練しているらしい。

イラン外相のアミール・アブドラヒアンはドローンを提供したことを認めたが、手渡した時期はロシアがウクライナに侵略する以前だったと主張した。ドローンの使い方についてイランは責任を負わないと言いたいのだろう。

ただ、こうした主張や立場を示されても納得する方が無理である。「イランは実戦で使用される国産ドローンの性能を確認し、後継機の開発に生かすつもりだろう」という在テヘラン外交関係者の見解の方が、よほど説得力を感じる。

イランがロシアに寄り添うことに、どうにも腑に落ちないことがある。地元メディアが二〇二二年四月に報じたイマーム・サーデグ大学による世論調査の結果に、ロシアに関する国民感情が表れるデータを見つけた。イランが各国と関係を持つ場合の利益の程度について尋ねたところ、ロシアは回答者の三十％が「とても低い」とし、「とても高い」の十三％を上回っていた。

前述の外交関係者が経験と体感をもとに話す。

「イスラム革命体制や政府、国民という層を問わず、心の底からロシアを支持するという声はイランで聞いたことがない」

そこには、イランがロシアに二度の戦争（一八〇四〜一三年、一八二六〜二八年）で敗れて北部の領土を占領された過去が影響している。さらに、ロシアは国連安全保障理事会の常任理事国であり、核兵器保有国だ。時代は移ろっても、北部に面するカスピ海を挟んで向かい合う地理は変わりない。ロシアがいつ、再び、イランの脅威に転じるか分からないのだ。

第四章で述べたように、ロシアは核協議の進展を阻み、イランを「恫喝」する存在である。イランはロシアに従わざるを得ない弱い立場なのかもしれない。

それでも、イランはロシアからどうにかして「実利」を引き出そうとしている。二〇二二年七月、イラン国営石油会社とロシアのガスプロムが覚書を交わし、原油や天然ガスの開発、パイプラインの敷設といった共同計画に合意した。事業規模は四百億ドルにのぼると報じられた。イランにとっては、制裁によって米欧諸国の協力や投資を得られずに開発が滞るなか、天然資源の産出量の増加に向けて朗報になるかもしれない。ただ、中国が原油を「格安」で購入していることと同様に、どれくらいイランの利益になるのか注視する必要はある。

他方、二〇二三年一月にはイランとロシアの中央銀行が、決済を直接やり取りできる通信システムに接続することで合意した。こうした直の取引が必要なのは、国際取引の決済で米ドルやユーロに頼り切っていると、米欧に制裁を科された場合に使用できなくなり、経済に大きな制約を受けるからだ。しかし、二国間で決済ができるようになっても他国への広がりには欠けるため、ただちにイラン経済の底上げに繋がることは考えにくい。

イランが中ロへの接近を一段と進めたのは二〇二三年七月に「上海協力機構」への加盟を決めたことで明らかになった。同機構はソ連が崩壊したあと、中国とロシア、中央アジア四カ国（ウズベキスタン、カザフスタン、キルギス、タジキスタン）によって二〇〇一年に発足した。そのあとインドとパキスタンが加わり、イランは二〇〇五年からオブザーバーとして参加してきた。

この機構は米国による一極集中に対抗する性格が強く、地域の安全保障や経済分野で連携することが目指されている。イランは加盟によって西側諸国と決別し、中ロの「陣営」に入り込む決断をしたようにも見受けられるが、果たしてどうだろうか。

すべては「イスラム革命体制の存続」のため？

制裁を生きる術として中ロに近づくことは、革命後の「国是」を考えるとある種の矛盾を抱えている。イスラム革命体制は米国を中心とする西側陣営と旧ソ連の東側陣営による冷戦を受け、「東西不偏」という外交政策を取ってきた。「東の共産主義でもなく、西の自由民主・資本主義でもなく、あるのはイスラム共和国のみである」という方針で、特定の国に偏らずに独立を貫くことが現代イランの基本姿勢のはずだった。中ロに傾いていく「東方政策」は、イラン現代史の転換点になるのかもしれない。

ふしぎなのは、イスラムの教えを基礎とする宗教国家でありながら、政策の判断は

「柔軟」にも見えることである。外交上の判断を規定するのが宗教という価値観ではなく、政治や経済、軍事上の利害だとすると、イランも他の国と変わらない「ふつう」に見えてくる。このため、「イスラム原理主義」や「イスラム法学者が支配する独裁国家」という米メディアを中心によく見かける枠にはめると、イランという国家の意図や言動を見誤る恐れがある。

では、イランの外交政策は何に基づいて導かれているのか。見定めることは難しいが、在テヘラン外交関係者のことばを思い出した。

「イランは先のことを深く考えず、ひとまず目先の都合のいい選択肢に飛びついているような気がします。それは、国益という国全体を考えた結果ではないでしょう」

そうだとすると、何を踏まえた判断なのか。彼に言わせると「イスラム革命体制の存続」である。

「いまの革命体制がしばらく生き延びることができればそれでよいという価値基準に照らして、政策を決めていると考えられます」

イランと中ロの関係は強そうに見えても、実際のところはもろいのではないだろうか。私がそういう考え方を持つようになったのは、『Triple Axis』、つまり『三カ国の枢軸』というタイトルで二〇一八年に出版された書籍を読んだからだ。

そのなかで論じられているのは、イランと中ロを結びつけるのは共通の目標であり、それはこれまでに形づくられた米国主導の国際秩序に対抗することだという。

昨今、国連をはじめとする国際機関の機能不全や限界が指摘されるようになった。たとえば、中国が南シナ海で進める軍事拠点化、ロシアのウクライナ侵略、イランによる核開発の拡大といった動きが挙げられる。

一方、同書が着目するのは、三カ国はそれぞれの政治体制やイデオロギー、文化や慣習、国内や地域で抱える課題、そして相手国に求める事柄がいずれも異なる点だ。このため、真の同盟のような深い関係に至る可能性は考えにくく、状況によっては対立する恐れを内包していると指摘し、こう結論づけた。

「イランと経済的、政治的、軍事的なつながりに有益性が見いだせなくなれば、ロシアや中国はためらうことなく距離を置く」

米国が圧力をかけている限り、革命体制の存続という目先のことを考えているイランは、対抗する手段として中ロに寄り添う覚悟だと私は理解している。その状態が続いた先にあるのは、既存の国際秩序に力で挑む新たな「悪の枢軸」のような関係性かもしれない。

第六章

貧窮にあえぐ国民たち

水が枯渇した範囲が広がるウルミエ湖。
スマホの位置情報では水中にいることになっていた

経済制裁によって痛めつけられたイランの社会はいま、新たな難題に悩まされている。水不足をはじめ、隣国からの避難民が急激な勢いで流れ込んでいるのだ。こうした問題の要因は一見すると外部にもあり、ひとつの国で対処することには限界がある。それでもなお、有効な手を打てないイランという国家に、責任を問う目が向けられている。

乾燥大国

水不足の深刻さは、イランでの日常生活から肌身に感じることである。

イランは北部のカスピ海沿いの一部の地域を除き、国土の大半は一年を通して乾燥している。冬場、自宅にある加湿器のモニターを見てぎょっとすることは当たり前だ。稼働していても湿度は常に十%台を示している。指先や腕、顔に保湿剤を塗り込んでもすぐカサカサしてくる。夏場は特に雨がほとんど降らない。二カ月以上、かんかん照りが続いた時には、断水に備えてペットボトル入りの飲料水を買い増した。

調べていると、とりわけ渇水に悩む場所を知った。

中部イスファハンだ。出張前に観光ガイドや辞書で以下のことを調べた。

一五九八年にサファビー朝（一五〇一～一七三六年）の第五代王アッバース一世（一五七一～一六二九年）がイスファハンを帝都に定め、その頃にできたイマーム広場はユネスコの世界遺産に登録されている。

街の中心部にはザーヤンデ川が流れている。全長四百キロの大河で、川の豊かな水に潤されて街が発展し、その繁栄ぶりは過去に「世界の半分」と称された。

人口は約二百万人の国内第三の都市で、ペルシャ絨毯や更紗《サラサ》といった伝統工芸品のほか、鉄鋼や石油化学といった産業も盛んだ。しかし、気候変動に加えて人口の増加や産業の発展は水の消費量を増やすことに繋がり、水不足が生活を脅かしているというのである。

むき出しになった大河

二〇二二年十一月、首都テヘラン中心部から南へ約三百五十キロ、車でイスファハン市街地に入った。最初に向かったザーヤンデ川の様子は衝撃だった。

水が一滴もないのである。

川底と思われる所は薄茶色の土がむき出しになり、ひび割れたガラスのような模様が一帯に広がっていた。川に水があったことをかろうじてうかがわせるのは、白鳥の形をしたレジャー用のボートだ。まるで陸地に打ち上げられた魚のように、船は土の上に船底を乗せた無残な姿をさらしている。現地の報道によると、川が枯れるようになったのは二〇〇〇年代の初め頃で、いまではほぼ全域で枯渇しているという。

川に水が流れている時はあっても上流のダムが開放されるわずかな間で、一年のうち多くても十日間余りらしい。そのダムはイスファハンから西へ百十キロの所にあり、一九七一年に完成している。総貯水容量は十四・五億立方メートルで、日本最大の徳山ダム（岐阜）より二倍超の規模だ。ただ、私が訪れた時のダム貯水率は十二%で、放流の予定もなさそうだった。

イラン国内でもイスファハンは特に雨が降らない地域だ。年間降水量は二〇二〇年までの三十年間の平均をもとにした平年値で百四十八ミリといい、東京の一割にも満たない。私が訪問した時の雨量はその平年値をさらに下回り、歴史的な少なさだとも報じられていた。

近年、雨量が減少しているのは気候変動の影響もあるとみられ、さらに温暖化も重

中部イスファハンを流れるザーヤンデ川は干上がり、ひび割れたガラスのような光景が広がる

川の「岸」にはレジャー用のボートが残されていた

なっている。日本の気象庁のデータによると、二〇二一年九月までの一年間の平均気温は月別で、平年値より九カ月も高い月があり、最大で四・一度、上回っていた。

雨は降らない。雨が降っても気温が高くて瞬く間に蒸発する。このような悪循環に水の消費量の増加が追い打ちをかけてきた。街中心部や周辺の人口は増えていて、産業も発展してきたことが背景にあるのだ。

こうして川が枯渇したとみられている。

取材を続けていると、別の意味でびっくりする光景に出くわした。郊外の幹線道路を車で走っていると、小松菜のような青々とした菜っ葉が栽培されている農地を見かけた。また、世界遺産のイマーム広場や周辺の公園、街頭の樹木や芝生も、きれいな緑に覆われている。そこへホースで絶えず水を撒く作業員たちがいる。使える水はほとんどないはずなのに、どういうことか。

答えは、地下水だった。枯渇した川に頼れなくなると、地元の人たちは他に水源を求め、井戸を次々に掘るようになったのだ。

しかし、地下水を汲み上げることは、地盤沈下という新たな問題を招いていた。あと十年で住めなくなると言われるくらい、イスファハンは新たな危機に直面していた。

ザーヤンデ川沿いにある広場には青々とした芝生が見られ、作業員が水を撒いていた。
枯渇した川の水に代わって地下水を頼っている

地盤沈下の無人住宅街

ザーヤンデ川から北へ七キロ、実際に地面が陥没した現場へ向かった。ハーネ・イスファハンという地区の一角に住宅街がある。地元の住民によると、このあたりは元々農地だったが、半世紀近く前に空軍の官舎として五百戸の一軒家が建てられたという。二〇一七年以降、一部を除いて民間に払い下げられ、一般の人びとが住むようになったそうだ。

不動産業を営む関係者に案内を頼み、住宅街のゲートの中に入った。一区画あたり平均五百平方メートルの広さで、庭付きの二〜三階建ての戸建てが整然と並ぶ。だが、生活のにおいがしない。それもそのはずで、九割は空き家だという。家屋を囲む塀は傾き、ひびが入っているところが目立つ。住宅の前を通る濃い灰色をしたアスファルトの道路もひび割れていて、折れ線グラフのような亀裂が数十メートルにわたって何本も走っていた。波を打って盛り上がっている所も目につく。いずれも地盤沈下の影響とされている。

地盤沈下が進み、住民がいなくなったハーネ・イスファハン地区の住宅街。塀が傾き、アスファルトの道路がひび割れている

ここの住宅を扱う不動産仲介業のシーナ・アリハニ（三〇）に話を聞いた。

「家を売って違う場所に引っ越す人は増え続けているのですが、新たな買い手を見つけるのは難しくなるばかりです」

この地区で地盤沈下が起きるようになったのは四〜五年前からで、それに伴って家の購入者が見つからなくなっているという。

「地区全体で地盤が下がることになっていけば、本当に住めなくなります。仕事や住まいを変えないといけない日が来るのは、私にとっても目の前に迫る現実です」


川は干上がったまま、足元の地面が沈み続けるのを見過ごすのだろうか。テヘランに戻った私は、水問題を担当する鉱工業省に取材を依頼した。指定された時間に庁舎の執務室で待っていたのは、副大臣のアリレザ・シャヒディだ。彼自身、地質学の専門家で博士号を取得していて、国内で地盤調査した結果をまとめた著作もある。現状の問題について尋ねた。

「我が国で消費される水のうち九割は農業用ですが、そのうち半分は有効活用されていません」

ダムや貯水池、用水路や送水管を造る。それらを修繕する。いずれも必要なことなのに予算が限られ、十分に手をつけられていないそうだ。イスファハンで地盤沈下が深刻になっている理由も尋ねた。

「行政の許可を取らずに井戸を掘り、違法に地下水を汲み上げているからです。ただ、それはイスファハンに限った話ではなく、実は国内全域の問題なのです」

国として把握できている分だけでも、国内には井戸が九十万カ所あり、うち四割超は違法に掘削されたものだという。さらに、違法な井戸と同じように地盤沈下も国内全域に広がっている問題だと説明し、副大臣はデータをそらんじた。

「イラン国内の全三十一州にある平野部六百九カ所のうち四百カ所で地盤沈下が起きています。沈下が進む深さは平均すると年五〜六センチです」

イスファハンでは平均の三倍、年十八センチに達するといい、副大臣は「あの地域は本当に危機的な状況です」と述べた。

イスファハン以外の地域でも地盤沈下に伴う道路の歪みや建物の傾きといった例は報じられている。政府は事態の悪化を防ごうと、ひとまず違法な井戸を塞いでいるそうだ。

水不足の対策はないのか聞くと、副大臣は「海水を淡水化する技術の成否が、私たちの将来を左右します」と答えた。イランは南西部でペルシャ湾、南部でオマーン湾に面している。そこで採取した海水の塩分を取り除けば、飲み水など日常で使えるようになる。そうして処理した水を内陸部に送る計画があり、二〇一九年頃から進めているそうだ。

確かに、近隣のサウジアラビアやアラブ首長国連邦、カタールといったイランと同じように砂漠が広がり、雨の少ない国々では、海水を淡水化することが定着している。いずれの国も主に豊富な原油や天然ガスの輸出によって財源を生み出し、淡水化の事業を進めてきた経緯がある。ただ、淡水化には多くのエネルギーが必要で、環境に負荷がかかっていることはおさえておきたい。

そうした湾岸諸国に比べて財源が乏しいイランでは、話が簡単に進みそうにない。それでも、現状では淡水化の計画を進める以外に、水不足と地盤沈下を止める道はなさそうだ。

「事業を進めるうえで日本の研究機関の協力も得たいと思っています。必ず成功させたいです」

わずかな水で生きる集落

水不足の取材で思い返したのは、テヘラン郊外の貧しい集落で暮らす人びとの顔である。二〇二一年四月に取材で訪れたのは、テヘラン中心部から車で三十分の首都郊外である。近代的なビルが建つ街の景色は一変して、砂漠の真ん中に小さな集落があった。

車で幹線道路から舗装されていない道に入ったあと、砂ぼこりを巻き上げながら進み、人影が見えた所で停めた。土壁の小さな平屋建ての家が三十戸余り軒を連ねている。外壁ははがれ落ち、内部のレンガは所々むき出しだ。玄関先に扉はなく、代わりに水色や白の薄い布がかけられている。その前で二羽のニワトリが器に入った餌をついばんでいた。

乾き切った地面に木の棒を突き刺してロープを引っかけた物干しには、赤やピンク、青のトレーナーやズボンといった子ども服が強い日差しを浴びている。ここに、主に地方から移り住んだ百人余りが暮らしているという。

土壁の簡素な造りの家が並ぶテヘラン郊外の集落（写真上）。アザムと名乗った女性が夫や子ども4人と暮らす自宅（写真下）はドアがなく、布がかけられていた

集落に上下水道は整備されていないため、少女はヤカンを手に給水タンクに向かっていた

その一人、アザムと名乗った女性（三〇）が十八～三歳の息子と娘の四人を連れ、ボール遊びをしていた。四年前、生まれ故郷の北東部マシャド近郊の村から夫（三八）とともに出稼ぎに来たそうだ。家の中を見せてもらうと、六畳くらいと狭い室内に、背の高さほどの冷蔵庫が目に入る。簡素な家には不釣り合いに映ったが、六人が生活する現実を思わせた。

集落に電気は通っているものの、上下水道は整備されておらず、玄関のすぐ外に置かれた容量一千リットルのタンクにためた水が頼りという。このタンクを七世帯で共有していて、二十日間に一回の割合で給水車を手配し、中身を補充していた。

タンクからヤカンで水を汲み、料理や食器洗いに使う。掃除や洗濯ももちろんこの水を使う。太陽の光や風雨にさらされているタンクを見ていると、衛生状態が良いとは決して思えない。日本の家庭では一人が一日に使う水の量は平均二百十四リットル（二〇一九年度・東京都水道局）。ペットボトル入りの水を買っているとはいうものの、アザムたちがいかに少ない水で生活することを迫られているか、苦しさが伝わってくる。

彼女はこの先も上下水道が整備された街には移り住めそうにないと思っている。夫婦で近くのレンガ製造工場で働いているが、二人合わせても日給は百万リアルだという。食べ盛りの子どもがいるなか、インフレで高騰する食費に大半を使っていて、残りは家賃五百万リアルに消える。

「少しでもより良い生活を求めて地方から出てきたが、もはや夢も希望もなくなった。日々の生活をどうにかして過ごす、それだけで精いっぱいです」

水不足がこれ以上、深刻になり、都市部で断水となれば、水が真っ先に届かなくなるのはこうした周縁の、開発から取り残された集落だと私は想像した。

体にまとわりつく塩

水不足はまわりまわって人体に直接の悪影響を与えていて、さらには住まいを失う危険をもたらしている。そうした事態を知ったのは、イラン北西部に広がる中東最大の塩湖であるウルミエ湖に関して調べている時だ。この湖は東アゼルバイジャン州と西アゼルバイジャン州にまたがり、一九七五年には国際的に重要な湿地としてラムサール条約に登録されている。

ウルミエ湖の深刻な状況は地元紙でたびたび取り上げられている。一九九七年には湖の水域面積が五千平方キロメートル、貯水量が三百億立方メートルで、滋賀県の琵琶湖に比べると面積は七・五倍、貯水量は一・一倍あった。しかし、二〇〇〇年頃には水位の低下が確認されるようになり、二〇一三年の水域面積は五百平方キロメートル、貯水量は五億立方メートルへ大幅に減少していた。

湖の水が減った背景には、もちろん雨量の減少がある。さらに、川から湖に流れ込むはずの水量が減ったことも考えられている。農業の発展に伴って水の消費量が増えたほか、川の上流にダムが建設されて水がせき止められているようなのだ。

二〇二二年四月、現地を訪れた。宿泊先のホテルでタクシーの手配を依頼したところ、ロビーに迎えに来たのは地元で生まれ育ったムハンマド・アシュリ（四五）だった。

「湖のことであれば何でも知っています。さあ、行きましょう」

湖畔に近づくと、彼が話しはじめた。

「私が子どもの頃、このあたりは湖を訪れる観光客でとてもにぎわっていましたよ。私も家族や友だちと、よくここに泳ぎに来たものです」

しかし、足元に広がる所はいまや、水が消失し、灰色の砂がむき出しになっている。

干上がった所が大量の塩で埋め尽くされているウルミエ湖

湖畔にある集落では、男性たちが椅子に座って談笑していた。農家のアクバル・ファーティ（右から2人目）は塩害の影響で収入が激減した

手元のスマートフォンで位置情報を見てみると、私たちは水中にいることになっていた。

そのあと、車は湖の中心部へ向かって時速十キロでゆっくりと進み、デコボコとした湖底を五百メートルぐらい進んだ所で止まった。

見渡す限りの一帯が白い塩で埋め尽くされていて、まるで白い砂漠のようだ。歩きまわってみると、ザクザクと霜柱を踏んでいるような音が響き、スニーカーの底にはとがったものが突き刺さる感触が伝わってくる。アシュリは吸っていたタバコを口から離して言った。

「唇をなめてみて下さい。塩っ辛いでしょう」

確かに、塩の味がする。風で舞い上がった塩が、知らない間に全身に付着していたのだ。

「湖の水が消えたことは、その外側、私たちの生活までも脅かしているのです」

塩は、すでに健康をむしばんでいる。二〇一七年一月に地元経済紙が報じたウルミエ大学などの調査によると、湖から半径百キロの範囲に住む人たちは高血圧や皮膚ガン、呼吸器や目の疾病といった症状を発症するリスクが高く、他の地域よりも症例数の割合が高いケースがあるという。高濃度の塩分を含む風に身体がさらされたり、普段の呼吸で吸い込んだりして、知らない間に体内に取り込んでしまっているからだと指摘されている。

ウルミエ湖の湖畔にある集落三カ所を訪ねると、いずれの農家も塩害に悩まされていて、豆やアーモンド、綿花の収穫量を大幅に減らしていた。ガッセム・ファーティ（五六）もアブドラホセイン・ヌーリ（七三）も、前年は作物がうまく生育せずに途中で枯れたと嘆いた。湖から吹き付ける塩の量が多く、畑地や草木に付着してしまったのだという。

同じ農家のアクバル・ファーティ（七三）は水不足や塩害で農作物を育てることが難しくなり、収入が減って家族を養えなくなったという。六人いた子どもたちはいずれも、建設工事や工場の仕事を求めて街の中心部に移ったそうだ。長年、農作業をしてきた証しだろう、黒ずんだ手を重ね合わせながら、硬い表情を崩さず彼は言った。

「湖の水を取り戻そうという環境保護活動は知っているが、結局のところ雨が降らないと本当の意味で状況はよくならないでしょう」

すでに人が去り、無人となった集落もある。次は自分たちが住まいを失うのか、誰もが行く末に怯えているのだ。

行き場をなくした大勢の避難民

もうひとつ別の難題が、隣国アフガニスタンからの急激な人の流れである。陸続きのイランとアフガニスタンは九百五十キロ近い国境で接していて、地域によっては言語や文化が近い。古くからイランに移り住んでいるアフガニスタン出身者も多く、一九七九年十二月にはじまったソ連によるアフガニスタン侵攻でその数は増えていった。

そこへ、二〇二一年八月十五日にアフガニスタンでイスラム主義勢力タリバンが二十年ぶりに権力を握ったことで、避難民が一気に押し寄せるようになったのだ。二〇二二年三月までに計五百万人を超えたと、イラン外務省は明らかにしている。新たにやって来た避難民のほとんどはビザやパスポートを持たない不法入国者とみられている。

そんな「よそ者」が急増したことに対し、イラン国内では緊張や反発が生じるようになっていた。国境を管理できていないうえ、入国してきた避難民に対する保護や管理も不十分だ。一般の人びとの間では国側に対する新たな怒りや不満の種になっている。母国を捨てて逃げてくるのはアフガニスタンのふつうの人たちばかりであり、生死をかけた末の選択である。

タリバンが復権して二週間が過ぎた頃から、大勢の避難民がテヘラン中心部にあるトルコ大使館や隣接するドイツ大使館に押し寄せているという情報をSNSで知り、九月一、六、八日に現場へ行った。

連日、真夏の強い日差しが照りつけるなか、二つの大使館の外壁前にある歩道を二百人ぐらいの人びとが埋め、一部は道路にはみ出るほどだった。そこにいる誰もが、トルコやドイツに入国できるビザを求めていた。

事情を聞こうと彼らに近寄った私は逆に取り囲まれて身動きが取れなくなり、次のような言葉を浴びせられた。

「日本に行かせてくれ」「ビザを出すよう日本政府に頼んでくれ」

私は記者であって支援はできないと何度も伝えても、切実な声は途切れなかった。

こうした喧騒や炎天下を避けるためだろう、街路樹の下で所在なくたたずむ女性に声をかけたのは九月八日の午後一時過ぎだった。この場ではゆっくり話が聞けないため、携帯電話の番号を聞き、後日取材することになった。

ヘイダリーの覚悟

四日後、指定された住宅街の一角に、ローヤ・ヘイダリー（二八）が姿を見せた。アフガニスタン北東部パンジシール州の州都バザラックにある小さな集落で、夫のゴララム（三八）と十二、八、五歳の二男一女の家族五人で暮らしていた。三週間余り前、母国から見知らぬイランの地に逃げてきたという。

故郷の村はゴツゴツとした山肌が続くが、谷間を流れる川には夏場でもひんやりとした雪解け水が流れ込み、田畑やクルミの木々で緑に染まる。車の往来はほとんどなく、牛や羊の鳴き声が響く静かな空間と時間に包まれていた。一家はそこで、小麦やトウモロコシを栽培して生計を立ててきた。賑やかな子どもの声に囲まれる、幸せな生活だった。

複数の民族が暮らすアフガニスタン国内の中でも、ヘイダリーの故郷はタジク人が多い地域で、パシュトゥン人が主体のタリバンと敵対してきた。ただ、タリバンが一九九六～二〇〇一年に政権を握った時も、故郷は支配されずに独立を保っていた。

ところが、今回は違った。ヘイダリーの記憶ではタリバンが権力を取り戻した一週間後の八月二十二日だった。故郷にタリバンの戦闘部隊が攻め込んできたと耳にした。まもなく、恐怖に包まれる。近所の知人女性は自宅にいる時、玄関扉を壊して入り込んできた戦闘員に性的暴行を加えられた。タリバンへの加入を断ったという理由で、十代前半の少年たちが何人も殺された。そうした話が村で広まるなか、ヘイダリーは夫にこう言われた。

「いますぐここを出て逃げろ」

彼女は戸惑った。すぐに逃げろと言うが、あなたはどうするつもりなのか。

「俺は、故郷を守るために残り、戦う」

夫は武器を手にしたことがない、どこにでもいるふつうの農民である。彼女は「私と子どもを置いて行かないでよ。他の男性たちが戦ってくれるのだから、あなたが行く必要なんかないじゃない」と言って、必死に引きとめた。

しかし、夫の意志を変えることはできなかった。自らもいますぐ戦闘に加わると言い残すと、夫は暗闇が広がる家の外に姿を消した。その背中を見送ることしかできなかった彼女は、涙が止まらなくなった。

だが、悲しみに暮れている場合ではなかった。早く村を出なければ命が危ないのだ。

彼女は現金や服を急いでバッグに詰めた。親戚の男性に連れられ、子どもも三人のほか、七十歳の義母や三十九歳の義姉と村を出た。

ヘイダリーは国外に行ったことがないどころか、村からもほとんど出たことがない。密航業者の男を頼るしかなかった。同じ境遇の二十〜三十人とともに夜間、岩山を上り、砂漠を抜けた。山道の途中で開けっ放しのゲートを通り抜けた。おそらくあれが、イランに入る国境線だったのだろう。なぜか警察も治安部隊もいなかった。

歩きはじめて十三時間、別の密航業者の男に引き渡されると、七〜八人ずつ乗用車四台に分乗させられ、さらに移動してたどり着いたのが、テヘランだった。どうにか逃げられたと安堵《あんど》する間もなく、彼女に届いた知らせは「夫の死」だった。母国に残っていた親族に電話すると、こう告げられた。

タリバンと戦闘中に死んだ――。

いま身を寄せているのは、以前からイランに移住している夫の父方の親族の家だ。親族には自分たちを受け入れてくれていることに感謝する一方で、居心地の悪さは募っている。親族宅にも六人の子どもがいて、いきなりやってきた自分たちを世話する余裕はないのである。だから、いつか出ていかないといけないのは分かっている。彼

写真撮影に応じた、母国アフガニスタンからイランに逃れてきたローヤ・ヘイダリー（右から2人目）。子ども3人と義母、義姉と一緒に

女はうつむき、涙をこらえて言った。

「夫さえいてくれれば、どうにでもなったはずなんです。お金だって、家だって、どうにか工面してくれたはず。そう、彼さえ近くにいてくれれば……」

その先は言葉にならず、うつむいたまま口を固く結んだ。

私は話を聞いたあとの別れ際、写真を撮らせて欲しいと頼んだ。ただ、夫はタリバンに殺害されたと聞いたことから、断られるだろうと思っていた。日本のメディアでも彼女の顔が公になれば、タリバンの標的にされる恐れがあるからだ。しかし、ヘイダリーは意外なほどすんなりと快諾した。

「私たちがどういう状況にあるのか、ぜひ日本に、世界に発信して下さい。私たちは何か間違ったことをしているわけではなく、名前も顔も隠す理由はありませんから」

彼女は親族宅にいた子ども三人を呼び寄せて、建物の壁を背にして立たせた。私が重責を負った気持ちでカメラを構えると、ヘイダリーは緑色の目をこちらに向けた。

夫を失っても、子どもたちは自分が必ず守る――。三人の子どもに囲まれた彼女はそう語っているような、きりっとした表情だ。いや、そうではなく、不安を懸命に隠そうとしているのかもしれない。

お礼を言って別れた。彼女たちは私に背中を見せて親族宅の方向に歩いていった。

その後ろ姿にカメラを向けていると、母親に左手を引かれ、青色のマスクをした五歳のオミドが一瞬、こちらを振り向いた。かわいいなと思って、シャッターを切った。

しかし、支局の事務所に戻って写真を見返していてふと気づいた。幼いオミドは単にかわいいのではない。写真の中で、何か訴えている。

なんで僕たちを助けてくれないの――？

そう聞こえてくるような、もの悲しい表情が記録されていた。

そのあと、ヘイダリーからは金銭の援助を求めるメッセージが何度も届いた。その都度、私は彼女のことばを思い出した。

「タリバンは今も昔もタリバンです。村にいれば、いつ自分がレイプされ、子どもたちが殺されてもおかしくない。それが現実なのです」

彼女の希望はドイツに入国することだと聞いていた。以前たまたま見たテレビ番組で、難民として逃れてきたイラン人をドイツ政府が手厚く支援していると紹介されていたからだという。

その程度の知識で母国を去り、縁もゆかりもない欧州の国での暮らしを思い描く。母語のダリー語しか分からなくても、安心を求めてわずかな望みにかける。そのこと以外に残された道はないのである。

私も彼女と同じように幼い子どもを育てる親だ。ある日突然、暮らしてきた土地を追われ、見知らぬ国で息を殺してどうにか生きなければならない。彼女に襲いかかった現実は、個人の力ではどうすることもできない。こうした状況に追いやられた人びとの声に耳を傾け、記事にして世の中に届ける。それこそが記者としてできること、やり遂げるべきことだと改めて思った。

「他者」への警戒感

イランに逃れてくるアフガニスタンの人びとが増えていくにつれて、彼らに対する暴行事件が各地で頻発していると、SNSや報道で話題になっていった。

自分たちの生活すらままならないのに、見知らぬ他人をなぜ受け入れ、助けなければならないのか――。イラン社会にはアフガニスタン出身者に対する警戒感が強まり、そうした排外的な感情の一部が、暴力として表出するようになった。ただでさえ少ない仕事の機会を奪われ、窃盗や強盗、麻薬の密輸や密売といった事件を起こし、治安を悪化させている。たとえ事実とは異なっていても、アフガニスタン出身者はイランにとって悪影響を与える存在だという受け止めが一定程度広がっていた。

そうした嫌悪感を強める事件が起こる。二〇二二年四月、北東部マシャドでイスラム聖職者の男性三人が刃物で襲われ、二人が死亡、一人が重傷を負った。容疑者は二十一歳の男で、アフガニスタン出身だと一部メディアが明らかにした。男はわずか二カ月後に死刑が執行された。

経済制裁に伴う生活苦、水不足や地盤沈下、さらには隣国からの避難民の急増に無差別殺人の不安までも加わる。イラン社会は様々な「脅威」にさらされ、一般の人びとの間に苦悩をもたらしている。たまり続けたあらゆる負の感情は国側に向けられ、抗議デモという形で吹き出すことになる。

その時、イランという国家の「悪」の実相を見た。内戦の恐れさえ囁かれる絶望の日々を私も送ることになった。

第七章

抑圧の象徴・ヒジャブ

2022年10月、アミニの死後、抗議デモは各地に広がった。
テヘランでの様子をマフザド・エリアッシが撮影し、私に送った一枚

美しいところは人に見せぬよう

イラン国内で見かける女性たちは必ず、外出する際にヒジャブと呼ばれるスカーフと同じような薄くて細長い布を頭部に着けて、髪の毛を隠している。着用は一九八三年に制定された法律で女性にだけ義務づけられている。根拠はイスラム教の聖典コーランにあるとされ、該当するところは翻訳書で以下のようにある。

「女の信仰者にも言っておやり、慎みぶかく目を下げて、陰部は大事に守っておき、外部に出ている部分はしかたがないが、そのほかの美しいところは人に見せぬよう」

イスラム革命体制の現代イランではこの「美しいところ」に頭髪が含まれると解釈され、女性たちは夫や父親、兄弟といった身内以外の男性には髪の毛を見せてはいけない、という決まりにしている。

そして、イラン国内でヒジャブの着用義務を負うのはイスラム教徒に限らず、女性であれば国籍や宗教を問わずに誰もがその対象とされているのだ。女性は髪の毛の他に全身のラインを隠す必要もあり、チャドルと呼ばれる長さ二メートルくらいの布を

テヘランにあるチャドル販売店の店頭で商品を着けたマネキン

ヒジャブ販売店では様々な色やデザインのものが売られている。中部イスファハンの店では壁一面に陳列されていた

羽織る。

街中のバザールやショッピングモールには大抵、ヒジャブやチャドルを専門に扱う店舗がある。ヒジャブは「正統派」の黒以外にも、青やオレンジ、黄色といった色とりどりのものもある。

こうした何種類ものヒジャブを女性たちはそれぞれ持っていて、その日の気分や服装、出かける場所によって変えているケースが多い。一方、チャドルは漆黒のものがほとんどで、日常の場面で見かける時は信心深い女性という印象を与える。

このようなヒジャブやチャドルによって女性が公の場できちんと髪の毛や全身を隠しているかどうかを専門に取り締まっているのが、二〇〇六年から本格的に活動をはじめた風紀警察だ。


二〇二二年九月十三日のことだった。

二十二歳のマフサ・アミニが地元の北西部クルディスタン州から家族と首都テヘランを訪れ、中心部のやや北にある地下鉄の駅近くを歩いていた時である。そこで、彼女は風紀警察の警察官に呼び止められた。理由は、ヒジャブの着け方が不適切だったとされたことだった。

抗議デモの勃発

風紀警察による尋問や逮捕は、現地で暮らす女性たちにとってそこまで珍しいことではなく、アミニもその一例に過ぎないはずだった。しかし、衝撃の展開を迎える。アミニが逮捕されたあと、連れて行かれたボザラ警察署の待合ロビーでのことだった。彼女は急に意識を失って倒れ、病院に搬送されたのだという。

そして、三日後の九月十六日、死亡したのだ。

こうした一連の情報を地元メディアがまず報じて、私はその内容を現地スタッフのメールで知った。そこには、大統領のエブラヒム・ライシが警察を所管する内務省に対し、アミニの死に関して「徹底した捜査を指示した」ことも含まれていた。

それは何かをたくらんでいると思わせるくらい意外に感じさせた。国側にとって都合の悪い事柄の場合、仮に報道されても無視するか、否定することが少なくないからだ。

不明な点は多いが、一人の女性がヒジャブの着用をめぐって逮捕されたあと、死亡したことは確かなようだ。この先の展開が読めなくても事件性を感じられればひとまず原稿にしておく。事件記者として染みついた心得に従って記事を書くことにした。

記事には、ＳＮＳですでに広がっていた写真についても盛り込んだ。アミニとされる女性が病院のベッドで横たわり、耳付近から血が流れたような痕を確認できる。

アミニは警察官に頭部を暴行され、死亡したのではないか――。

一枚の写真はこうした疑いを抱かせるのに十分だった。さらに、父アムジャドは地元メディアに、娘のアミニは逮捕前まで健康上の問題はなかったと証言した。父親も警察官による暴行を疑っていることが分かり、人びとが抱いた疑いは確信に変わっていく。

アミニの死亡について原稿を書いた直後から、私は社会がぴりぴりと緊張していく雰囲気を肌で感じるようになっていった。まずＳＮＳで見かけたのは、アミニの死後に入院先だった病院の前に複数の人たちが集まり、国側に対する疑念や怒りの声を上げている様子だった。また、死亡翌日にアミニの地元で営まれた葬儀は、参列者による抗議デモに一変し、その後、批判の声は国内全域に広がっていった。そのなかで注目された三つのことばがあった。

女性、命、自由――。

女性の権利を認めよ。命を大切にせよ。自由を与えよ。アミニの死を機に可視化されたのは、差別的な扱いを受け、息の詰まる暮らしを強いられてきた女性たちの厳しい現実だ。ただ、女性だけの問題にとどまっていれば、多くの男性たちがデモに参加することはなかったはずだ。大規模な抗議の動きに発展していったのは、四十年以上続くイスラム革命体制そのものに対する不満と怒りの声が噴き出たからであり、現状に対する変革が訴えられたのだった。

こうした状況に国側も焦りを覚えたのかもしれない。九月十八日、大統領のライシはアミニの遺族に電話をかけて哀悼の意を伝え、次のような約束もしたと報じられた。

「あなたの娘は私の娘のような存在だ。何が起きたのかは明らかにされる」

この発言は、風紀警察の疑惑が解明され、責任の所在が突き止められる「期待」を抱かせた。ところがあとで見るように、ライシは結局のところ「徹底した捜査」を指示しただけで、何が起きたのかは明らかにされず、誰も責任を取ることはなかった。その結果、アミニの死因は警察当局が発表した「心臓発作による病死」のままで片付けられてしまった。

マフサ・アミニが死亡したことについて報道する2022年9月20日付の地元紙

焦る政府、ネット遮断

抗議デモが広がるなか、私の身近なところで異変が起きた。

九月二十一日夜、支局の事務所に取材相手を招いて食事をした。帰宅する時間となり、スマートフォンの配車アプリ「スナップ」でタクシーを呼ぼうとした。スナップはイランのＩＴ企業が開発した人気のアプリで、日本で言う「Ｕｂｅｒ」や「ＧＯ」と同じような機能がある。

しかし、スマホの画面には電波があると表示されているのに、なぜかインターネットに接続できない。事務所のＷｉ－Ｆｉに切り替えても遮断されている。

翌日になって分かったのは、イラン当局がネットの接続制限をはじめていたことだ。デモが開かれる場合、場所や日時はＳＮＳを通じて呼びかけられることが大半だ。そして、デモの様子が撮影された動画や画像はＳＮＳに投稿されたあと国内外に拡散し、それらをもとにイランに批判的な米欧メディアが報じる。国側にはこれらを断ち切る思惑があったのである。

ネット遮断によって日常の連絡に支障が出た。さらに大きな障害が出たのは情報の収集である。そもそも報道の自由に制約のあるイランにおいて、貴重な情報源としていた米欧の大手メディアによるニュースのほか、各国の研究機関や専門家の報告書が見られなくなってしまった。

その代わりに情報が得られる先はイラン国営やそれに近い国内の報道機関に絞られ、国側にとって不都合な事実はまったくと言っていいぐらい出てこなくなった。

現地にいながら足元で何が起こっているのか正確に把握できない。まるで外界と途絶された陸の孤島に取り残された感覚である。かろうじてメールは送受信できたが速度はかなり遅く、原稿も写真も送るのに時間がかかった。デジタルでの速報が求められる時代に、大きな痛手だった。

「独裁者に死を!」

デモの勢いは肌身に感じられるところまで迫ってきた。

九月二十二日夜、私はテヘラン北部にある住宅街を歩き、現地で知り合った外交関係者の自宅に向かっていた。街灯の淡いオレンジ色の光がわずかに路地を照らしている。周辺は車が行き交う以外は静かな所である。しかし、男たちの声が立ち並ぶマンションにいきなり響き渡った。

「独裁者に死を！　独裁者に死を！」

「独裁者」とは最高指導者アリ・ハメネイのことだ。各地で続く抗議デモの現場で同じかけ声が上がっているのを知っていたが、初めて自分の耳で聞くと身の毛がよだった。もしそのあたりにいる治安部隊が聞きつければ、発言者はもちろん、たまたま近くにいただけでも疑いをかけられ、身柄を拘束される恐れがある。

声のする方を振り向くと、道路を挟んだ向かい側の歩道に人影が見えた。二十歳前後の若者だろう、男性三人組の姿が浮かび上がる。三人は何度も「独裁者に死を！」と叫び、拳をつくった手を夜空に突き上げながら住宅街のすぐ外側を走る幹線道路バリアスル通りの方へと姿を消した。

私が向かっていた家はそこからわずか百メートルの距離だったのに、道のりはやけに長く感じた。無事にたどり着き、食事をはじめた。

それから一時間が過ぎた午後八時頃だ。窓の外が急に騒がしくなり、「パーン、パーン」という銃声のような乾いた音がした。そこに、「おー」「わー」と歓声にも悲鳴にも聞こえる声が続いた。さらには、「パッパー」「ブー」と車のクラクションが幾重にも響いてくる。幹線道路にたくさんの人たちが集まり、抗議デモをはじめたのだ。

先ほどの男性三人組も参加しているに違いない。


テーブルを挟んだ私の前で、外交関係者はグラスを口に運ぶ手を止め、リラックスしていた表情を急に引き締めた。

「内戦が始まりそうな緊張を感じますよね」

決して誇張ではなかった。この時すでに、治安部隊は武装してデモの鎮圧に動き、複数の死傷者が出ていた。それに対し、仮にデモ参加者が武器を取り、一段と激しく抵抗するようになれば、より多くの血が流れる事態を免れない緊迫感があった。

取材ができない！

序章で紹介した女性六人を私が見かけたのは十月二日の夜で、場所は先述のバリアスル通りだった。六人は中央分離帯に立ち、手に持っていたヒジャブをこちらに向けて振っていた。私はすぐにでも車を降り、その場で取材したい気持ちが募った。

しかし、唯一できたのは、車の助手席で身を小さくしてスマートフォンで十一秒間、六人の様子を撮影することだけだった。この時、自分の身にも危険を感じていたからである。

道路の両脇を見ると、銃を肩に担いだ治安部隊のメンバーが何人もいる。真っ黒に塗装されたオートバイの傍らに彼らは立っていて、隙間を空けずに並んでいる。ざっと数えただけでも、五百メートルの距離に二百人いた。まるで暗闇の中で静かに身を潜め、獲物を狙う巨大なカラスの群れのようだ。

私がデモの様子を取材していると彼らに知られれば、標的にされる可能性がある。現にアミニの死やデモに関して取材していたジャーナリストが何人も逮捕されていた。しかも、国側はデモの背後に「外国勢力」の存在があると主張していたため、外国人である私が現場にいれば「スパイ」の疑いがかけられ、拘束される可能性はより一段と高くなる。

在テヘラン日本大使館からは「注意喚起」と題したメールが何通も届いた。

「抗議活動に参加する意図はなくても、現場でデモ隊と治安当局の衝突などに巻き込まれる恐れがある」（二〇二二年九月十九日付）

「複数の死傷者、拘束される事例が発生」「イラン全土で当局のネット規制によるも

のとされる通信障害も発生」（同年十月四日付）

「暴行や拘束など不測の事態に遭遇する恐れがある」「抗議活動の場所には近づかない、写真や動画などの撮影はしない、周辺の状況を踏まえて早めに帰宅するといった自らの安全確保に努めて下さい」（同年十二月十九日付）

身の安全は第一だが、現場で取材したい気持ちが募った。そこでは何が起きているのか。なぜデモに参加するのか。現状をどう思っているのか。こうした多くの問いを前に、何ができるか。私は現地に着任したあと、二年を迎えるこの時までに少しずつ広げ、深めてきた人脈に望みをかけた。

抑圧の象徴・ヒジャブ

アミニの死から五日後だった。四十歳の女性マフザド・エリアッシは、地元である首都テヘランの中心部で開かれた抗議デモに加わり、他の女性たちと国側を批判する声を上げていた。そこへ、緑色の制服を着た警察官が近寄ってきて、二～三メートルの距離で止まった。そしていきなり、銃口を向けられた。

パーン、パーン――。

勢いよく飛んできた弾は自分の体をかすめるようにして通り過ぎ、背後に止まっていた車に当たったあと、白煙が立ち上った。催涙弾だ。煙は一瞬にして周辺に広がり、涙と咳が止まらなくなった。まわりの人たちとともに逃げ惑っているところへ、治安部隊の隊員が声をかけてきた。

「カメラでお前の顔を記録した。次に姿を見たら逮捕するからな」

「どんな容疑で？」

「容疑なんて関係ない。我々には権力がある。それを使うだけだ」

隊員の所属先はイスラム革命防衛隊の傘下にある民兵組織バシジである。彼らは鉄パイプで殴ってもびくともしそうにないヘルメットをかぶり、ゴーグルと防塵マスクをつけていた。なかには肩に銃をかけている者もいる。

国側は自分たちのような一般の人びとの言い分には耳を貸さないばかりか、力によって黙らせる。彼女は心の底から嫌な気分になった。

エリアッシは危険を冒しながらもデモに参加する理由について、前年六月にあった大統領選を挙げる。大統領選に立候補を希望する改革・穏健派の人たちが事前の審査で軒並み「失格」となったことは第三章で述べた。その結果、自分たちの声を代弁するような候補者は不在で、票を投じる先を奪われたのだ。そして、ライシが「圧勝」した。そんな選挙は無意味だったと彼女を含めて多くの有権者は絶望し、そして、自分たちの声を国側に伝える唯一の方法が街頭に出ることだったのである。

「自由もなく、明るい将来も見えない。失うものがなくなったいま、命をかけて変革を実現するしかないのです」

イランの多くの女性たちにとってヒジャブは単なる一枚の布ではなく、やはり抑圧の象徴なのである。

彼女は取材のあとも抗議デモに身を投じた。そこで撮影された写真をメールで受け取り、その中の一枚が目に留まった(二二〇～二二一頁)。夜半、二十人余りの男女が路上に立ち、赤い炎を上げるタイヤを囲んでいる。四～五人の女性たちはヒジャブを外して髪の毛を出し、右腕を闇夜に突き上げていた。

女性、命、自由――。

デモには多くの男性も参加している。自由を勝ち取ろうとする女性たちに寄り添っているように感じられ、その姿にエリアッシは勇気づけられていた。

規則を守るのは逮捕されたくないから

治安部隊に危害を加えられる恐怖から、抗議デモに参加できない人たちも多い。そのことは、テヘランに住む三十代の女性に話を聞いて分かった。彼女はアミニの死についてこう言った。

「死んだのは私だったかもしれない」

彼女もアミニと同様の容疑で逮捕され、しかも同じ警察署に連行された経験をしていたのである。

それは、二十代だった二〇〇七年夏のことだ。知人の買い物に付き添っていくつかのアクセサリー店をまわったあと、午後九時になろうとしていた時である。見知らぬ女性二人が近づいてきてこう告げてきた。

「あなた、服が短すぎる」

二人は風紀警察の警察官だった。彼女はこの時、上着を羽織っていたが、裾の長さは腰までだった。警察官はその裾が短くて「不適切だ」と指摘してきたのだ。「もっと裾の長い服が近くに停めた車の中にあるので、すぐに取ってきます」という彼女の訴えは聞き入れられず、捜査車両のワゴン車に押し込められた。

車内にはすでに他の女性が四〜五人、乗っていた。別の場所で逮捕されたようだ。そして連れて行かれたのは、アミニと同じボザラ警察署だったのだ。署内に入るとベンチが並ぶ待合のホールになっていて、ほかの女性二十人余りとそこに座るよう命じられた。まもなくすると、警察官に一枚の書面を突き付けられた。

「今後は、適切にヒジャブや上着を身につけます」

誓約書だ。名前や年齢、住所を書かされた。拘束から一時間半後、やっと帰宅を許されてエントランスに向かった。外に出る直前の所で、五十代くらいの女性が泣いていた。拘束されて不安なのだろう、その女性の気持ちがよく分かる彼女は「大丈夫ですよ、私のように帰れますよ」と声をかけると、警察署長の男性がいきなり大声で怒鳴ってきたのだ。

「何を勝手に話しているんだ。ホール内に戻れ！」

何も説明がないまま、外で待たせていた知人までもが拘束されることになった。さらに、彼女の母親も署に呼び出され、娘を引き取るよう指示された。迎えに来た母のおかげで今度こそ解放された帰り際である。署長が捨て台詞のように言った。

「ルールが守れないんだったら、この国から出ていくしかないな」

この一言は彼女の脳裏に染みつき、それ以来、街中を巡回する風紀警察のワゴン車や警察官の姿が目に入るたびに心臓の鼓動が早まり、息苦しさを覚えるようになった。

「風紀警察を怒らせると、本当に何をされるのか分からない」

二度と逮捕されたくない一心で、ヒジャブやロングコートをそれまで以上に規則どおり、きっちりと身につけるようにしている。ただ、彼女は信心深くない。コーランは読まないし、礼拝に行くこともない。ヒジャブで髪の毛を覆うのは法律だから仕方ないと思っている。それでも、国家が力ずくで従わせるのにはどうしても反感を持つ。

「何を着るのか、着ないのか、選ぶのは本来、個々人の自由のはずです。選択の自由を奪い、権力が入り込んでくる。そこに対して女性たちが抱く違和感は、時代とともに強まっていると思います」

自分を含め、革命当時を知らない四十歳未満はいまや人口のうち七割以上を占める。インターネットで常に世界と繋がり、SNSを通じて様々な情報に触れる。欧米のテレビ番組や映画、音楽はもちろん、最近では韓国の音楽K－POPも楽しむ。

世代が変わり、信仰心の薄い若者の存在が珍しくなったことを思えば、社会の変革を求める声が高まるのは時間の問題だったのだ。ただ、不満があるからといって命の危険をさらしてまで抗議デモには参加したくない。だから、彼女は確信している。

デモに参加している人たち以外に、目に見えないもっとたくさんの人びとが怒りや不満を持っているはずだ、と。

「もうイランには戻らない」

イランという国そのものに絶望し、母国を後にする例が出ている。

アミニの死から五日後である二〇二二年九月二十一日、テヘラン在住の女性（三五）には対面で取材することになり、支局の事務所に来てもらうことにした。外で取材して見知らぬ人に話を聞かれるのを避けたかったからだ。

彼女は事務所の扉を開けて室内に一歩、足を踏み入れると、すぐに頭からヒジャブを外し、明るい茶色に染めた髪の毛をあらわにした。羽織っていたショールを脱ぐと、ノースリーブ姿だった。

最近、ヒジャブ着用への取り締まりが急に厳しくなったと彼女は感じていた。二〇二一年まで八年続いたハサン・ロウハニ政権は穏健派で、風紀警察の姿を街中で見ることは多いとは感じず、髪の毛を出していても注意を受けることはなかった。

ところが、同年八月に強硬派のライシ政権が誕生すると、取り締まりは再びきつくなった。変化は、行きつけのカフェで感じた。これまでヒジャブを着けずにコーヒーを飲んでいても何も言われなかったのだが、近頃は店員の女性に注意されるようになっていたのだ。

店員は困った顔をつくり、「ヒジャブをちゃんと着けて頂かないと、店が閉鎖に追い込まれるんですよ」と言ってくるのだ。もやもやした気持ちが残る。その店員もついこの前まではヒジャブを両肩にかけて髪の毛を出していたのに、いまではしっかり頭髪を隠している。

イスラムの教えが押しつけられる社会の空気感に彼女が納得できないのは、いまに始まったことではない。

二十代の頃、友人の誕生日パーティーに招かれ、その人の家に男性も含めて計十人が集まった。女性たちは青や赤のパーティードレスで着飾り、ヒジャブを外していた。音楽をかけて盛り上がっているところへ突然、玄関の扉を叩く音が響いた。男性が玄関先に行くと、警察官が立っていた。近隣の住民が騒ぎに気づき、通報したのだろう。

ヒジャブを着けていないことはもちろん、イランでは結婚前の男女交際も違法となる。逮捕されるのだろうか。室内は静まりかえった。

ところが、警察官は室内に入ってくることなく帰っていき、応対した友人は「ちょっとお金を渡したらいなくなったよ」と話した。友人たちの間でホッとしたあとに残ったのは、あきれ返るような雰囲気だ。宗教の名を借りた秩序は一皮めくれば腐敗しきっている。彼女はそう思わずにいられなかった。

彼女は、幼い頃から抱いていた夢をアミニの事件を機に実現することにした。米国への留学である。取材した一週間後の二〇二二年九月末、彼女は米国の西海岸に降り立った。まずは二年間、米国の大学院に在籍し、英語を勉強する。就学ビザが有効な間に、永住できる方法も探すつもりだ。

「もうイランには戻らない。息苦しさを我慢しながら残りの人生を送るのは耐えられないから」

渡航前にそう語っていた彼女は「イスラム」から解放され、米国で自由な暮らしを手にしたはずだった。メールでのやり取りを続けていた私は、新生活を楽しむ様子が分かる写真を送って欲しいと頼んだ。しかし、彼女の返信には母国を捨てた後ろめたさがにじみ出ていた。

「私だけ気楽に自由を味わう、という心境にはまだなれません」

母国にいる女性たちは引き続き自由を求め、命がけで闘っているからだと書かれていた。

革命前夜の予感

闘いはどういう結末を迎えるのか。終わりの見えない日々を送るなか、多くの人たちは行く末を案じた。落ち着いた日々を早く取り戻したいと願う一方で、自由を奪われたままの「日常」にはうんざりだという気持ちも聞かれた。

イランは第二の革命に向かっている――。イラン国外のメディアや専門家からは、いまが「革命前夜」だという主張が出ている。果たしてどのように理解すればよいのか。

十月、英ロンドン大学東洋アフリカ学院（ＳＯＡＳ）政治・国際学部の教授、アーシン・アディーブモガッダムに連絡した。イラン人の両親のもとにトルコで生まれ、ドイツで育った教授には、一九七九年にイランで起こった革命や二〇一一年に中東や北アフリカで広がった民主化運動「アラブの春」に関する著作がある。

——いま、私の目の前で起きていることは革命となるのでしょうか？

「現段階では革命にはなり得ないです」

注目すべきなのは、抗議の動きを率いるリーダーがいない点だという。

「革命の達成には、そこへ向かう大きな推進力を必要とする時が来ます。その時に不可欠なのが、意見の異なる様々な勢力をひとつにまとめられる、カリスマ性を持った強力な指導者です。そうした人物はいま、イランには見当たりません」

だからだろう、各地で起こる個々の抗議デモは注目されるが、国家の変革に繋がるようなうねりは見えてこない。リーダーとなるような有力人物を国側がこれまでに排除してきたことも響いている。

「それでも、これだけの民衆の怒りが一気に表出した例は過去にありません。ただでさえ人気を失い、ぼろぼろになった現体制の基盤がさらに弱まっているのは確かです」

いまの革命体制が弱体化しているのであれば、その内部から造反者が出るということはないのか。思い浮かぶのは軍事クーデターだ。

力を巨大化させる革命防衛隊

私はこの時期、サッカーW杯カタール大会の開幕を控え、同国の首都ドーハを事前に訪れていた。ジョージタウン大学カタール校の教授、メフラン・カムラバに連絡を取り、話を聞くことにした。教授はイラン出身で、初代最高指導者をテーマにした共著もある。

造反者が生まれる可能性を考えるうえで、現最高指導者ハメネイとイスラム革命防衛隊の関係性に教授は触れた。

「最高指導者は革命防衛隊を大切に扱い、うまく味方として引き込みました。革命体制をともに守る重要な勢力になったのです」

革命防衛隊は軍事にとどまらず、政財界でも大きな力を持つようになった。大統領のライシも外相のアミール・アブドラヒアンも革命防衛隊と近い関係にあり、ライシ政権の閣僚三〜四人のほか、国会議長、そして外交政策を統括する国家最高安全保障委員会の事務局長は革命防衛隊の出身である。

また、革命防衛隊は、一九八九年十二月に設立された巨大な複合企業ハタム・アル・アンビヤを有する。国内で石油やガスの開発、鉱工業、建設業、インフラ整備、通信、不動産、銀行、株式投資といった様々な事業に深く関与している企業で、二〇一〇年七月の段階ですでに英公共放送BBCは、イラン経済の三分の一かそれ以上を支配しているとも指摘した。また、革命防衛隊は国境の管理も担っていて、制裁下で密輸に関わる主要な組織ともみられている。

各界に力を及ぼす革命防衛隊と最高指導者は相互に必要とする構図になり、手を携えることが共通の利益になったという教授の分析に、私は取材ノートに書いた文字に下線を引いた。

「ですから、最高指導者が裏切られたり、造反者が出てきたりすることは考えにくいのです。ハメネイ師は宗教指導者ではありますが、より深く感じるのは政治的な賢さです」

革命防衛隊が反旗を翻すことがない限り、現体制の転換や崩壊、つまり「第二の革命」は起こらないと考えてよいのだろう。

弾圧を奨励する国側

現体制は崩れないという余裕を感じさせるのは、国側には抗議の声に耳を傾けるつもりはないような振る舞いが見て取れるからだ。大統領のライシはアミニの死因を「病死」で済ませ、約束を反故にした。これが、警察に責任の所在があると期待させた、「徹底した捜査」の結末である。当初の約束は口先だけで、批判の声を初期の段階で抑え込むつもりだったのだ。

それでも、デモの動きは広がり続けた。そこで国側が選んだのは、武力による弾圧を本格化させることだった。アミニの死から二カ月余り過ぎた二〇二二年十一月、最高指導者ハメネイが民兵組織バシジのメンバーを前にした演説で、弾圧に「お墨付き」を与えたばかりか、「奨励」するような発言をした。

「あなたたちが命を犠牲にして現場で活動しているからこそ、我が国は暴徒たちから守られている」

革命体制に異を唱える人たちを「暴徒」という枠にはめ込み排除するべき敵として見定めたのだ。第三章で少し触れたように、大統領のライシが当選後の記者会見で述べた「国民」をめぐる境界線はこれではっきりした。政府や革命体制に従わない人びとは「暴徒」であり、どういう手段を使っても黙らせる。それは「国民」を守るために正当化される。

力による支配が完成したと言ってよいだろう。

国側が弾圧するのは身体にとどまらず「心」も標的にした。恐怖を植え付けることである。十二月、司法府がネットで公表した写真を見て、私は思わず目を背けた。北東部マシャドで早朝の薄明かりのなか、大型車両のクレーンの先端からロープが垂らされ、後ろ手に縛られた男性が吊るされている。絞首刑に処された、まさにその瞬間を捉えた写真だ。地上では見物人がいる。つまり、公開処刑の様子を公表したのである。

処刑されたのは二十代の男性で、デモの現場でバシジのメンバー二人を殺害したとされる。問われた罪名は「神に対する冒瀆」。ペルシャ語で「モハレベ」と言われ、イスラム教シーア派の考え方に基づく罪だった。

この罪は一般的に、武器の使用によって人びとを恐怖に陥れ、公共の秩序を壊した場合に適用される。ただ、地元の弁護士は「数世紀前の法の概念であり、どういう場合に適用されるのか明らかにされていない」と語った。

バシジ二人の殺害がこうした極刑に値する重罪なのか、イラン国内のイスラム法学者の間でさえも論争になった。また、男性は逮捕後わずか三週間余りで処刑されたことから、十分な審理が尽くされたのかどうか不透明な点も残った。

公開処刑について、在テヘランの外交関係者は「とうとう来るところまで来てしまった。国側はもう後戻りできないでしょう」と述べ、暗い表情で続けた。

「公開処刑の写真を公表したことは見せしめです。革命体制を最前線で守るバシジに危害を加えれば徹底的に報復する、待っているのは死である、と」

他にも、一般の人たちに人気のある、各界の著名人も弾圧されている。

サッカーW杯カタール大会は、イラン国内で抗議デモが続くなかで開催された。イラン代表の初戦はイングランドだった。先発した代表選手十一人は試合前、ピッチで一列に並んだが、国歌が演奏されている間、口を真一文字に閉じて歌わなかった。

チケットが取れず、スタジアム周辺で取材を終えて宿泊先のホテルに戻っていた私は、試合会場で写真を撮影していた同僚のカメラマンからの連絡を受け、次の見出しの記事を速報した。

「イラン選手ら国歌歌わず　抗議デモに連帯か」

しかし、四日後のウェールズ戦では、イランの選手たちは一転して国歌を歌った。どういう心境の変化があったのか。代表チームの関係者が匿名を条件に取材で語った。

「選手たちは厳しい状況下にある国民に寄り添う一方、国の代表としての姿も見せることにしたのです」

これには裏話があったようだ。米ＣＮＮによると、イラン代表の選手たちは国歌を斉唱しなかった第一戦のあと、革命防衛隊の隊員に呼び出され、次戦以降に再び歌わなかった場合、家族を拘束して拷問すると警告されていたという。

イラン代表は第二戦に続き、米国と対戦した第三戦でも国歌を歌った。

十二月には、サッカーの元イラン代表の選手で、代表チームの監督も務めたアリ・ダエイ（五三）が狙われた。彼の妻と娘が飛行機でテヘランからアラブ首長国連邦のドバイに向かっていた時だ。二人が搭乗した機体がペルシャ湾に浮かぶキーシュ島の空港に緊急着陸した。その場で二人は治安部隊によって強制的に降ろされ、イラン国内に足止めにされたという。

いまも国民的な英雄と目される彼はＳＮＳで抗議デモを支援してきた。そうした言動を忌まわしく思った国側が、彼の家族に嫌がらせをしたと受け止められている。さらに、ダエイ自らがテヘランで経営するレストランと宝飾店も標的にされ、警察によって閉鎖された。

また、世界的に有名な映画監督アスガー・ファルハディの作品『セールスマン』に主演し、二〇一七年のアカデミー賞外国語映画賞を受けた女優タラネ・アリドゥスティ（三八）が十二月に逮捕された。彼女はＳＮＳに投稿した写真で、ヒジャブを着けずに髪の毛をあらわにした自身の姿を公開していた。さらに、写真の中で「女性、命、自由」と書いた紙を手にしていたのだ。彼女は、デモ参加者に対する死刑が執行されたあと、次のようにも訴えていた。

「沈黙は抑圧者への支援を意味する」「この虐殺を目撃しながら何も行動しないすべての国際機関は人類の恥辱だ」

国側がこうした著名人について「暴徒」を応援する「危険人物」や「反体制派」と

見なし、排除を試みたことは疑いようがない。

五百五十一人――。

二〇二三年九月までの一年間で治安部隊によって殺害されたデモ参加者の数である。ノルウェー拠点の人権団体イラン・ヒューマン・ライツのまとめによると、死者には十八歳未満の子ども六十八人や女性四十九人も含まれている。イラン国内の全三十一州のうち二十六州で死者が確認され、死因は銃弾や警棒による殴打が大半を占めるとされる。

激しい弾圧の「成果」だろう、大規模な抗議デモは収まるようになっていった。しかし、人びとの怒りや不満はむしろ一段と募り続けている。

終章

揺れ続けるイラン

「この国は一体、どこへ向かっているのでしょうか」

かつて「悪の枢軸」と呼ばれたイランで八〇〇日間、記者として過ごすなかで印象的な場面やことばにいくつもめぐり合った。とりわけ心に刻まれているのは、首都テヘランに住む大学院生の女性（二五）が取材の合間に何げなく発した一言である。

「この国は一体、どこへ向かっているのでしょうか」

彼女が将来の先行きを見通せずに絶望するようになったのは、二〇二二年九月以降に起こった抗議デモがイランの国内全域に広がった時期である。

国側がデモに対応するなかで明らかになったのは、苦しい生活を強いられながら、自由を求めて街頭に立った一般の人びとに対して、暴力で押さえ付けるという「悪」の実相である。

四十年以上続いてきたイスラム革命体制を守るために行き着いたのが、力に頼ることだったのだ。こうした姿を形づくったのは、多くの国民からの信頼や人気を失いつつある危機感の裏返しだと私は理解している。わずかな異論を許容する余裕さえも失われていたのだ。

さらに、彼女が同世代の友人たちの間で共通する不満として話していたのは、イランが外側に向ける振る舞い方についてである。中東各地の「親イラン勢力」の支援を続け、核開発を推し進めていることに触れて、彼女はこう言っていた。

「そんなことに労力を使う前にやるべきことがある。私たちふつうの人たちの生活を少しでもよくすることです」

ただ、こうした行動をイランが自発的に変えるとは考えにくい。外側に対してもイスラム革命体制は危機感を抱いている。親イラン勢力の支援も核開発も、国際政治の場で生き延びる術として取り入れている側面が強く、安全保障や外交といった点で有効な「政策」だと考えているからだ。

革命体制は外側からも内側からも「脅威」にさらされていて、危機下にいるのだと認識しているのだろう。だからこそ、自己保身のためには徹底して抵抗するほかなく、横暴だと受け止められる手段であってもためらわずに選ぶのだ。

このような態度をイランに取らせるようになったのは、米欧を中心にイランを「悪」と断じて圧力を加えてきたひとつの結果だとも言える。イランとどのように向き合えばよいのか、明確な答えは見つからない。

それでも、イランを放置したり無視したりすることは避けなければならない。揺れ動く国際情勢でイランという存在はふとした瞬間に際立つことがあるからだ。イランに引き続き関心を寄せて関与していくことは、複雑な情勢を読み解き、イランはもとより世界にこれ以上、争いの種を広げないために必要だ。

私が抱いたこうした実感は、二〇二三年二月の人事異動で日本に戻り、本書を書き進めるうちに確かなものになっていった。意外なほど多くイランの話題が次々にニュースとなり、しかも大きく取り上げられているからである。

「暴徒」の排除

二〇二三年十月六日、ノーベル平和賞がイラン人の女性に贈られることになった。受賞したのは人権活動家のナルゲス・モハンマディ（五一）で、受賞の理由はイスラム革命体制による女性の抑圧と闘ってきたことが挙げられた。

しかし、受賞が決まったことよりも目を引いたのは、彼女が反国家的なプロパガンダを広めたという「罪」で刑務所に収監されていることである。同年十二月十日にノルウェーの首都オスロであった授賞式にも、彼女は出席できなかった。

イランという国家はこの先もしばらく、政府や革命体制に向けられる批判や非難の声を力で封じ込めることが想像できる。二〇二一年八月に大統領となったエブラヒム・ライシの考え方にそうした将来像が見て取れるからである。

ライシの生まれ故郷を訪れ、記者会見を二度、直接取材して私が理解したのは、彼ら革命体制の中枢にとって国側に不満を言う人たちは「暴徒」であり、その排除は「国民」の人権を守る「正義」として正当化されるということだ。

これは、一九八九年から二代目の最高指導者を務めるアリ・ハメネイが築いてきた国家の姿だと言ってよい。ハメネイは二〇二四年七月に八十五歳を迎える。持病があり、これまでも健康不安説が流布されることはあったが、その日が訪れるのは時間の問題だと広く考えられている。

その時、ハメネイの後継者として最有力のライシが順当に三代目の最高指導者になるのだろうか。そもそもイスラム革命体制はどうなるのか。中東はもちろん、国際情勢に多大な影響を及ぼすことになるだろう。

イスラエルとの緊迫

ノーベル平和賞が発表された翌日の二〇二三年十月七日にはじまったのが、イスラエルとイスラム組織ハマスの戦闘だ。イランが三十年以上にわたって支援するハマスをイスラエルはテロ組織だと見なしていて、壊滅することを目指している。二〇二四年に入っても戦闘の終わりは見えてこない。

ハマスが攻撃を仕掛けた当初、イランが関与したという情報を目にした。どうやら事実ではなかったようだが、ハマスによる活動の裏でイランが暗躍しているという印象を世界に植え付けた。

こうしたなか、戦闘がはじまって三週間後、イスラエルの首相ベンヤミン・ネタニヤフがイランを「悪の枢軸」と呼んだ。ここで言われた「枢軸」はイランとハマスに加えて、レバノンのイスラム教シーア派組織ヒズボラで構成されているらしい。

イスラエルは北部を中心にヒズボラによる攻撃を受けているなか、二〇二四年一月八日にはレバノン南部でヒズボラの上級司令官ウィッサム・タウィルをドローンによる攻撃で殺害した。両国の間に戦闘が広がる恐れは強まるばかりだ。

イスラエルに直接攻撃を加えていないイランをあえて「悪」と名指しする理由は何か。この先イランを攻撃する時にイスラエルの正当性を主張する素地をつくっているのだと考えられる。

一方で、イランとハマスの結びつきはどれぐらい強いのか分からないことが多く、実際のところ関係は一時冷え込んでいたという見方もある。二〇一一年三月以降にはじまったシリア内戦をめぐり、イランはバッシャール・アサド政権を支援したのに対し、ハマスは反アサド派についたとされる。こうした関係性からも、イランがハマスに軍事的な指示を下している可能性は低いだろう。

そういった事情に関わりなく、イスラエルはイランに対する攻撃を正当だと訴えて踏み切るのかどうか、何かのきっかけで急激に緊迫が強まる恐れも消えず、しばらく目が離せない。

そもそもイランがイスラエルを国家として承認せず、ハマスをスンニ派主体でありながらも支援することには理由がある。国際法違反と指摘されているにもかかわらず、イスラエルはパレスチナの占領を続けているからだ。また、第四章で述べたとおり、イスラエルがＮＰＴ締約国でもないのに核兵器を保有していることもイランは非難している。

こうしたイスラエルの振る舞いについて米国は擁護する立場を取っていて、イランが米国に反発する動機になっている。


「悪」と断じられた側で真っ先にひどい目に遭わされるのは一般の人びとである。

イスラエル軍はハマスの拠点があるパレスチナ自治区ガザ地区を中心に、空爆や地上侵攻といった激しい攻撃を続けている。ガザ地区では二〇二四年二月末までの五カ月に満たない間に、すでに三万人を超える人びとの命が奪われていて、たくさんの子どもたちも含まれている。けがをしても病院で治療を受けられない。命が助かっても家族や住まいを失って、行き場をなくしている。食べ物も飲み物も十分に手に入らない。そうした日々が続いている。

イスラエルという国家にとってはふつうの人びとがどれだけ死んでも、ハマスを倒すための戦闘の「巻き添え」に過ぎず、死者数は単なる数字でしかないのだろう。私も両親がいて、妻がいて、幼い子どもがいる一人の人間だからこそ、悪化し続ける現地の状況を知るたびに暗澹《あんたん》たる気持ちになる。

イスラエルとハマスの戦闘を止める。イスラエルとパレスチナの争いを根本から解決する。そうした努力が日本を含めた国際社会に求められている。

「声」の大小に惑わされない目

相手を「悪」と見定めて自分たちを「正義」の側に置こうとすることは、国際政治の場で優位に立とうとするいずれの国も持ちうる思惑だろう。とりわけ米国はいまなお絶大な影響力を持つ大国であり、その「声」は大きい。そのうえで私が意識してきたのは、声の大きさに惑わされていないかどうかというやや引いた観点である。これまで当たり前だと思っていた「常識」を問い直し、従来とは異なる視点で向き合うことに繋がると思うからだ。

二〇一六年一月に履行された核合意はもはや瀕死の状態だが、そもそもの原因を生んだのは二〇一八年五月に離脱した米国である。記憶しておきたいのは、イランは米国に対抗する手段を打ち出す二〇一九年五月まで合意の内容を一貫して守っていて、核開発を制限していたという事実だ。

また、米国が二〇二〇年一月にイスラム革命防衛隊の司令官、ガセム・ソレイマニを暗殺した根拠について「自衛権の行使」だったと主張していることに対しては、国際法違反だと指摘されている事例も本書で取り上げた。

こうした国家間の対立でも、直ちに人生を狂わされるのは一般の人たちである。

核合意の実効性が失われている状態は、米国による経済制裁がイランで続くことを意味する。その影響でパンや米、肉や野菜といった生活に欠かせないモノの値段は上がり、買い控えることが常態化した。医薬品は品薄で手に入りにくい状況が続いている。また、ソレイマニの殺害はイラン国内で強硬派の台頭を促し、強硬派が支配する国側による人びとへの弾圧は当然のことのようになってしまった。

二〇二三年十二月二日、首相の岸田文雄はイランの大統領ライイシと電話会談した。イスラエルとハマスの戦闘が話題になり、岸田はイランによるハマスの支援を念頭に、ライイシに対して事態の沈静化に向けて役割を果たすよう求めた。また、ロシア・ウクライナ戦争やイランの核問題についても意見を交わした。

日本とイランは二〇一九年に国交樹立九十周年を迎えた。日本は西側諸国の一員であり、さらに米国の同盟国でもありながらイランに接触できる、世界でも特異な関係を築いてきた。日本が負うべき役割は、欧米諸国とイランの橋渡しを続けることはもちろん、イラン側の誤った言動に対しては厳しい態度を示すことである。

このような日本の外交努力は、イランが中国やロシアと関係を強め、「三カ国の枢軸」と呼ばれるようになったいま、ますます重要になっている。イランが中ロの「陣営」に入って既存の国際秩序を力で変えようとする、というような状況をつくらせてはならない。


そして、二〇二四年一月になって、イランの名をこれまで以上にたびたび見聞きすることになった。

一月三日、私が三年前に訪れたイランの南東部ケルマンで二発の爆発があり、百人近い人たちが死亡した。そのほとんどが一般の人びとだと報じられている。現場はソレイマニが埋葬されている共同墓地の近くで、米軍に暗殺されて四年となる日に合わせた追悼行事が営まれていたようだ。イランはテロ事件だと断定し、過激派組織「イスラム国」（ＩＳ）が犯行声明を出した。

現地からの報道を見ていると、爆発があったとされる現場の近くを私も通っていた。テロ事件に巻き込まれていてもおかしくなかったと考えると、いま命があるのは単に幸運だっただけだと思う。

日本でも大きなニュースとして取り上げられ、イランはやはり危険な国だと思われたことだろう。しかし、そういう印象を抱くことで終わらず、現地で暮らすイランの人たちが命を奪われ、テロの恐怖を目の当たりにしていることに思いをめぐらせたい。

その後、一月十五〜十六日にイランは立て続けに、テロ組織やイスラエルの情報機関モサドに対する「報復」と称してイラクやシリア、パキスタンの領土にミサイルやドローンで攻撃し、日本でも「緊迫する中東情勢」として報じられた。

ここでも注意を払っておきたいのは、イランがなりふり構わず先制的に他国の領土を攻撃しているわけではなく、あくまでも被害を受けたから行動に出たという言い分を持っていることだ。

一月二十日にはシリアで、イランのイスラム革命防衛隊の軍事顧問五人がミサイルの攻撃によって死亡し、大統領のライシはイスラエルの仕業だとして「報復」を誓った。

中東情勢は、その緊迫の度合いを深めている。

分断を深めないために

中東地域に限らず世界各地で紛争が相次いで起きているのは、それぞれの国や勢力の間に生じた分断が修復できなくなったひとつの帰結である。ただ、残念なことに、新たな紛争に繋がりかねない分断は様々なところで生じやすくなっている。

昨今、米国が主導し、日本も主要国の一角として築いてきた国際秩序が変容していると指摘されるようになった。しかし、そうした秩序を保つ担い手であるはずの欧米各国で排外的な自国第一主義がはびこりやすくなり、一定の支持を集めている。とりわけ二〇二四年十一月に米国で予定されている大統領選はドナルド・トランプが再選されるのかどうか、国際情勢を左右するだけに大きく注目されている。

そうしたなか、中国やロシアは国際秩序に挑む姿勢を強めている。そういった動きと同時に、インドやインドネシア、南アフリカに代表され、イランも含まれる「グローバル・サウス」と呼ばれる新興国・途上国は存在感や発言力を強めている。

意見の相違や利害の対立が目立ち、世界的なまとまりが築かれにくくなったいま、分断の流れを加速させる恐れは高まり続けている。ＳＮＳを中心とした情報をめぐるせめぎ合いが激しくなり、ウソか本当か分からない情報が垂れ流されている。意図的につくられた偽の情報が出回り、国家による情報工作はもはや珍しくなくなった。

それでも、こうした現代を生きる私たちに必要なのは相手を理解しようとする努力である。それぞれの場所で生きるふつうの人びとの命を守り、平和な未来を築いていくためには、対話を重ねていく以外に希望はない。私がこのように確信するようになったのはイランで得られた出会いがあったからである。

国立テヘラン大学日本語・日本文学科の准教授、アヤット・ホセイニ（四〇）である。彼は小学生だった一九八〇年代、イランで放送されたＮＨＫの連続テレビ小説「おしん」を見た時に初めて日本のことを知り、興味を持った。出演者の名前を示す日本語にとりわけ目を奪われたそうだ。

高校生の時にラジオの日本語講座を聴き、大学では日本語を専攻した。夏目漱石の『坊っちゃん』にはじまり、芥川龍之介や森鷗外、太宰治、安部公房、三島由紀夫の作品を読んだ。また、これまでに二度の日本留学を経験して、文学を通じた日本への理解を深めてきた。

テヘラン大学では二〇一四年から教鞭を執り、毎年二十人余りの学生を受け持つ。

翻訳家としての顔もあり、漱石の『現代日本の開化』や村上春樹の『職業としての小説家』のペルシャ語訳を出版している。

イランで日本語教育を通じて両国の友好関係に力を尽くしたことが評価され、二〇二二年九月、日本の外務大臣表彰を受けることになり、テヘランの日本大使館で授与式があった。挨拶に立ったホセイニは滑らかな日本語でこう話した。

「学生に指導し、その指導の傍らで日本語を研究するなかで、分かったことがあります」と切り出し、こう結んだ。

「それは、お互いの理解なくして、平和は築けないということです。現在、世界のあらゆるところで、政治的な緊張や紛争が起きています。相手に対する理解が深まっていたら防げたのではないか、という思いから離れることはできません」

分断を固定化して紛争を招く本当の「悪」は、相手を理解しようとする歩みを止めてしまう私たち一人ひとりではないか。そのように意識することを心がけ、私はこの先も取材対象の実相に迫って記録していきたい。

あとがき

大学生の頃、就職活動をはじめるうえで最初に相談したのは母方の叔父だった。私より二十二歳上の優しい「兄」であり、いまでも「ひろちゃん」と呼んでいる。

私が小学生の時、週末になるとよく、東京都清瀬市の公営団地三階に住む祖父母の家に遊びに行った。叔父は当時、テレビ番組の制作会社に参加していて、実家であるその家に帰ってきていることがあった。私が祖父母宅に着いてもしばらくの間、叔父は日の当たらない北側の洋間で寝ていて姿を見せなかった。昼過ぎにむくっと起きてくるが、寝癖がつき、ひげは伸びたままだった。

そうした姿に何だか自由な大人でいいなあ、と子どもの目には映っていた。本人も「仕事のできが悪くて、使いものにならないアシスタント・ディレクターなんだ」と言っていて、私も実際にそうなのだろうと思っていた。

その頃から私が抱いていた夢は、レスリングの強豪選手を擁する警視庁か自衛隊に入って競技を続けて、オリンピックに出ることだった。しかし、中学も高校も大学も、出場した全国大会ではいずれも準々決勝敗退で終わり、夢をきっぱり諦めた。警察を就職先として考えたが、小柄なので向いていないと思った。

そこで思い出したのがイランでの体験である。現場に行く。様々な人たちに話を聞く。発見がある。警察官と記者の仕事が私のなかで重なった。体力には自信があったので、いつ、どんな現場でも駆けつけて取材する意欲はある。

そうした志望動機を叔父に伝えると、「それ、おもしろいよ。面接で言ってごらん」と返ってきた。新聞社の入社試験を受けることに決めたのはこの一言があったからだ。

記者になってみて叔父から学んだのは、自分の興味や関心と向き合い、粘り強く追い続ける大切さである。私がイランを訪れて興味を抱いてからちょうど二十年となるいま、本書が完成した。振り返ってみると、叔父があの時、昼過ぎまで寝ていたのは、前日の夜遅くまで勉強や仕事に取り組み、興味や関心を深めてテレビ番組や映画作品といった形にしようとしていたからに違いない。

二〇二三年五月に本書の執筆をはじめた時、叔父である是枝裕和がニュースで話題になっていた。監督作『怪物』が仏カンヌ国際映画祭で脚本賞を受け、脚本を書いた坂元裕二さんと会見していた。

私の本が出れば「勉強する」と言っていた叔父にまず、本書を届けたい。

両親には私がイランにいる間、いつも以上に心配をかけた。「体に気をつけて、無理しないでね」ということばは、自分が親になったいま、より一段と身に染みる。

妻の純と長女の咲、長男の陸斗とは現地で苦楽をともにした。妻の理解や忍耐があったからこそ、取材や執筆に集中する時間を絞り出せた。いつか子どもたちから本書の感想を聞いてみたいという、大きな楽しみができた。

新潮社の西村博一さんと神山智恵子さんに御礼を申し上げる。連載の執筆依頼を頂き、二〇二一年四月から二〇二二年七月までの間に計十一回、国際情報サイト「フォーサイト」に記事が掲載された。テーマの設定や表現の工夫といった当時の経験は本書に生きている。

朝日新聞出版書籍編集部の松尾信吾さんが私の企画書を見て出版への道筋をつけて下さり、築田まり絵さんは最後まで丁寧に原稿を見て下さった。あまり身近ではないうえ、複雑な問題をいかに分かりやすく書くか。難題だったが、本書の骨格とともに一緒に熟考して下さった。数々の励ましのことばに背中を押された。

朝日新聞社には英国留学やテヘラン赴任といった貴重な機会を与えられた。テヘラン支局の現地スタッフ三人には取材活動にとどまらず、生活の面でも支えられた。献身的な働きがあったからこそ、無事に任期を終えられた。

ロンドン大学東洋アフリカ学院のアーシン・アディーブモガッダム教授には、国際政治や中東政治を学問として体系的に学ぶ重要さや難しさを教わり、取材や執筆でも多くのことを相談させて頂いた。

そして、イランで出会い、取材に応じて下さったみなさん、とりわけ身の危険が及ぶ恐れもあるなかで話を聞かせて下さった方々に、最大限の感謝を伝えたい。

本書が少しでもイランについての理解に繋がり、現地の人びとを取り巻く環境がよくなるよう願っている。

二〇二四年三月

飯島　健太

参考文献

- ◆会川晴之『核の復権　核共有、核拡散、原発ルネサンス』KADOKAWA、2023年
- ◆青木健『ペルシア帝国』講談社、2020年
- ◆青木健太「5つの質問でわかる　イランを知るための基礎知識」「外交」編集委員会編『外交』第59巻、外務省、2020年1月
- ・『タリバン台頭　混迷のアフガニスタン現代史』岩波書店、2022年
- ・「イラン　長期化する抗議デモ」中東調査会『中東かわら版』No. 109、2022年10月、https://www.meij.or.jp/kawara/2022_109.html
- ・「イラン・ロシア関係の展開　イランの『ルック・イースト』政策に着目して」中東調査会編『中東研究』第546号、中東調査会、2023年1月
- ・「イラン『革命防衛隊の強大化』で遠のく核合意再建」新潮社フォーサイト、2023年3月、https://www.fsight.jp/articles/-/49578
- ・「イラン・サウジアラビア　中国の仲介で外交関係が正常化」中東調査会『中東かわら版』No. 157、2023年3月、https://www.meij.or.jp/kawara/2022_157.html
- ◆秋山信将「米国によるJCPOA離脱の戦略的インプリケーション」中東調査会編『中東研究』第539号、中東調査会、2020年9月
- ◆秋山信将編『NPT　核のグローバル・ガバナンス』岩波書店、2015年
- ◆飯塚正人『現代イスラーム思想の源流』山川出版社、2008年
- ◆池内恵『【中東大混迷を解く】シーア派とスンニ派』新潮社、2018年
- ・「2021年の中東を回顧する（8）イランの保守強硬派ライースィー大統領は次世代の最高指導者たりうるか」新潮社フォーサイト、2021年12月、https://www.fsight.jp/articles/-/48470
- ◆井筒俊彦『イスラーム文化　その根柢にあるもの』岩波書店、1991年
- ◆井筒俊彦訳『コーラン（中）』岩波書店、1958年
- ◆岩崎葉子『「個人主義」大国イラン　群れない社会の社交的なひとびと』平凡社、2015年
- ◆鵜塚健『イランの野望　浮上する「シーア派大国」』集英社、2016年
- ◆岡田恵美子『言葉の国イランと私　世界一お喋り上手な人たち』平凡社、2019年
- ◆黒田賢治『イランにおける宗教と国家　現代シーア派の実相』ナカニシヤ出版、2015年
- ・『戦争の記憶と国家　帰還兵が見た殉教と忘却の現代イラン』世界思想社、2021年
- ◆小杉泰『9・11以後のイスラーム政治』岩波書店、2014年
- ◆駒野欽一『変貌するイラン　イスラーム共和国体制の思想と核疑惑問題』明石書店、2014年

◆齊藤貢『イランは脅威か　ホルムズ海峡の大国と日本外交』岩波書店、2022年
◆酒井啓子『〈中東〉の考え方』講談社、2010年
◆坂梨祥「選挙　イラン・イスラーム共和国と『公正な選挙』の必要性」中村覚監修・末近浩太編著『シリア・レバノン・イラク・イラン』ミネルヴァ書房、2021年
◆桜井啓子『現代イラン　神の国の変貌』岩波書店、2001年
・『シーア派　台頭するイスラーム少数派』中央公論新社、2006年
◆篠田英朗「『ソレイマニ司令官殺害』は違法『ドローン軍事使用』国際法上の問題点」新潮社フォーサイト、2020年7月、https://www.fsight.jp/articles/-/47104
◆末近浩太『イスラーム主義　もう一つの近代を構想する』岩波書店、2018年
・『中東政治入門』筑摩書房、2020年
◆杉田弘毅『アメリカの制裁外交』岩波書店、2020年
◆鈴木一人「イラン核合意の米・イラン関係への影響」中東調査会編『中東研究』第525号、中東調査会、2016年1月
・「国連イラン制裁における金融制裁について」吉村祥子編著『国連の金融制裁　法と実務』東信堂、2018年
◆鈴木達治郎『核兵器と原発　日本が抱える「核」のジレンマ』講談社、2017年
◆角潤一「イラン政治のうねりの中で　深まる二国間関係、試される危機対応」「外交」編集委員会編『外交』第63巻、外務省、2020年9月、http://www.gaiko-web.jp/test/wp-content/uploads/2020/09/Vol63_p136-141_Gaikosaizensen.pdf
・「抵抗か協調か、イランの民意を左右する米大統領選　半年遅れで訪れるイラン大統領選に注目すべき理由」JBpress、2020年10月、https://jbpress.ismedia.jp/articles/-/62549
・「米・イラン間の『グランドバーゲン』は可能か?」Publingual、2021年3月、https://publingual.jp/archives/31667
・「イラン大統領選挙とメディア　コロナ禍の『空中戦』を制するのは誰か?」Publingual、2021年5月、https://publingual.jp/archives/37422
・「イラン大統領選挙とネット、ソーシャル・メディア　コロナ禍の『空中戦』を制するのは誰か?」Publingual、2021年5月、https://publingual.jp/archives/39652
◆セーガン,スコット・ウォルツ,ケネス、川上高司監訳・斎藤剛訳『核兵器の拡散　終わりなき論争』勁草書房、2017年
◆高橋和夫『燃えあがる海　湾岸現代史』東京大学出版会、1995年
・『イランとアメリカ　歴史から読む「愛と憎しみ」の構図』朝日新聞出版、2013年
・『中東から世界が崩れる　イランの復活、サウジアラビアの変貌』NHK出版、2016年

◆谷憲一『服従と反抗のアーシューラー　現代イランの宗教儀礼をめぐる民族誌』法政大学出版局、2023年
◆富田健次『ホメイニー　イラン革命の祖』山川出版社、2014年
◆ドローギン,ボブ、田村源二訳『カーブボール　スパイと、嘘と、戦争を起こしたペテン師』産経新聞出版、2008年
◆中田考『イスラーム　生と死と聖戦』集英社、2015年
◆中西久枝『イスラームとモダニティ　現代イランの諸相』風媒社、2002年
・『イスラーム世界と平和』創元社、2023年
◆貫井万里「開発と紛争の影に追いやられた豊かな海　ペルシャ湾の環境問題」豊田知世・濱田泰弘・福原裕二・吉村慎太郎編著『現代アジアと環境問題　多様性とダイナミズム』花伝社、2020年
・「2021年イラン大統領選挙に向けた政争とアメリカの影響」日本国際問題研究所研究レポート、2021年3月、https://www.jiia.or.jp/research-report/post-81.html
・「ライースィー大統領の人事から見るイラン新政権の行方　『ディープステイト（影の政府）』の浮上とイラン核交渉難航の兆し（前後編）」日本国際問題研究所研究レポート、2021年9月、https://www.jiia.or.jp/research-report/middle-east-africa-fy2021-07-01.html、https://www.jiia.or.jp/research-report/middle-east-africa-fy2021-07-02.html
◆八尾師誠『イラン近代の原像　英雄サッタール・ハーンの革命』東京大学出版会、1998年
◆羽田正編『イラン史』山川出版社、2020年
◆福原裕二・吉村慎太郎『北朝鮮とイラン』集英社、2022年
◆ホメイニー,ルーホッラー・ムーサヴィー著・富田健次編訳『イスラーム統治論・大ジハード論』平凡社、2003年
◆松永泰行「イラン人とシーア派の世界」板垣雄三編『「対テロ戦争」とイスラム世界』岩波書店、2002年
・「革命後イランにおける『ナショナル・アイデンティティ』」酒井啓子・臼杵陽編『イスラーム地域の国家とナショナリズム』東京大学出版会、2005年
・「イランにおける抗議運動　政治空間の変容と公的主張」酒井啓子編『中東政治学』有斐閣、2012年
・「イランの核合意・制裁解除　その意義、背景と余波」歴史学研究会編『歴史学研究』第948号、青木書店、2016年 9 月、https://www.tufs.ac.jp/ts/personal/matsunaga/jihyo2016.

pdf
・「トランプ政権とイラン核合意の行方　米国単独離脱とその影響」『国際問題』編集委員会編『国際問題』No. 671、日本国際問題研究所、2018年、https://www.tufs.ac.jp/ts/personal/matsunaga/matsunaga_trump-jcpoa_2018.pdf
◆山岸智子編著『現代イランの社会と政治　つながる人びとと国家の挑戦』明石書店、2018年
◆山口信治「中国―イラン関係の深化とその限界　隔たりのあるパートナーシップ」川島真・鈴木絢女・小泉悠編著・池内恵監修『ユーラシアの自画像　「米中対立/新冷戦」論の死角』PHP研究所、2023年
◆吉村慎太郎『イラン・イスラーム体制とは何か　革命・戦争・改革の歴史から』書肆心水、2005年
・『改訂増補 イラン現代史　従属と抵抗の100年』有志舎、2020年
・「革命・戦争後の現代イランと環境問題　大気汚染、水資源不足、廃棄物処理問題を事例に」豊田知世・濱田泰弘・福原裕二・吉村慎太郎編著『現代アジアと環境問題　多様性とダイナミズム』花伝社、2020年

◆ Abrahamian, E. *A History of Modern Iran.* Cambridge University Press, 2008
◆ Achcar, G. *The Clash of Barbarisms: The Making of the New World Disorder.* Saqi Books, 2006
◆ Adib-Moghaddam, A. *The International Politics of the Persian Gulf: A cultural genealogy.* Routledge, 2006
・*Iran in World Politics: The Question of the Islamic Republic.* Columbia University Press, 2008
・*A Metahistory of the Clash of Civilisations: Us and Them Beyond Orientalism.* Hurst and Company, 2011
・*On the Arab Revolts and the Iranian Revolution: Power and Resistance Today.* Bloomsbury, 2014
・*Psycho-nationalism: Global Thought, Iranian Imaginations.* Cambridge University Press, 2018
・*What is Iran? Domestic Politics and International Relations in Five Musical Pieces.* Cambridge University Press, 2021
◆ Alavi, S.A. *Iran and Palestine: Past, Present, Future.* Routledge, 2020
◆ Amanat, A. *Iran: A Modern History.* Yale University Press, 2017
◆ Ansari, A. *Confronting Iran: The Failure of American Foreign Policy and the Roots of Mistrust.*

Hurst and Company, 2006

- Arjomand, S. *After Khomeini: Iran Under His Successors.* Oxford University Press, 2009
- Axworthy, M. *Iran: What Everyone Needs to Know.* Oxford University Press, 2017
- Azizi, A. *The Shadow Commander: Soleimani, the US, and Iran's Global Ambitions.* Oneworld Publications, 2020
- Bajoghli, N. *Iran Reframed: Anxieties of Power in the Islamic Republic,* Stanford University Press, 2019
- Beeman, W. *The "Great Satan" vs. the "Mad Mullahs": How the United States and Iran Demonize Each Other.* University of Chicago Press, 2008
- Boroujerdi, M. and Rahimkhani, K. *Postrevolutionary Iran: A Political Handbook.* Syracuse University Press, 2018
- Campbell, D. *Writing Security: United States Foreign Policy and the Politics of Identity.* University of Minnesota Press, 1998
- Dabashi, H. *Iran, The Green Movement and the USA: The Fox and the Paradox.* Zed Books, 2010
- · *The Arab Spring: The End of Postcolonialism.* Zed Books, 2012
- · *Iran Without Borders: Towards a Critique of the Postcolonial Nation.* Verso, 2016
- Ehteshami, A. *Iran: Stuck in Transition.* Routledge, 2017
- Ehteshami, A and Zweiri, M. *Iran and the Rise of its Neoconservatives: The Politics of Tehran's Silent Revolution.* I. B. Tauris, 2007
- Elbaradei, M. *The Age of Deception: Nuclear Diplomacy in Treacherous Times.* Bloomsbury, 2012
- Esfandiary, D. and Tabatabai, A. *Triple Axis: Iran's Relations with Russia and China.* I. B. Tauris, 2018
- Fathollah-Nejad, A. *Iran in an Emerging New World Order: From Ahmadinejad to Rouhani.* Palgrave Macmillan, 2021
- Fayazmanesh, S. *The United States and Iran: Sanctions, Wars and the Policy of Dual Containment.* Routledge, 2008
- · *Containing Iran: Obama's Policy of "Tough Diplomacy".* Cambridge Scholars Publishing, 2013
- Filkins, D. "The Shadow Commander". The New Yorker, Sep. 23. 2013. https://www.newyorker.com/magazine/2013/09/30/the-shadow-commander
- Halliday, F. *The Middle East in International Relations: Power, Politics and Ideology.* Cambridge

University Press, 2005

- Hiro, D. *The Longest War: The Iran-Iraq Military Conflict.* Paladin Books, 1990
- Jackson, R. *Writing the war on terrorism: Language, politics and counter-terrorism.* Manchester University Press, 2005
- Jervis, R. *Why Intelligence Fails: Lessons from the Iranian Revolution and the Iraq War.* Cornell University Press, 2010
- Joyner, D. *Iran's nuclear program and international law: From Confrontation to Accord.* Oxford University Press, 2016
- Kamrava, M. "Khomeini and the West". *A Critical Introduction to Khomeini,* edited by Arshin Adib-Moghaddam. Cambridge University Press, 2014
- Mearsheimer, J. and Walt, S. *The Israel lobby and U.S. foreign policy.* Penguin Books, 2008
- Nephew, R. *The Art of Sanctions: A View from the Field.* Columbia University Press, 2018
- Ostovar, A. *Vanguard of the Imam: Religion, Politics, and Iran's Revolutionary Guards.* Oxford University Press, 2018
- Parsi, T. *A Single Roll of the Dice: Obama's Diplomacy with Iran.* Yale University Press, 2013
- *Losing an Enemy: Obama, Iran, and the Triumph of Diplomacy.* Yale University Press, 2017
- Pollack, K. *The Persian Puzzle: The Conflict Between Iran and America.* Random House, 2004. *Unthinkable: Iran, the Bomb, and American Strategy.* Simon and Schuster, 2013
- Said, E. *Covering Islam: How the Media and the Experts Determine How We See the Rest of the World.* Vintage Books, 1997
- *Orientalism.* Penguin Books, 2003
- Saikal, A. *Iran at the Crossroads.* Polity Press, 2016
- *Iran rising: The Survival and Future of the Islamic Republic.* Princeton University Press, 2019
- Sinkaya, B. *The Revolutionary Guards in Iranian Politics: Elites and Shifting Relations.* Routledge, 2017
- Uskowi, N. *Temperature Rising: Iran's Revolutionary Guards and Wars in the Middle East.* Rowman and Littlefield, 2019
- Woodward, B. *Plan of Attack.* Simon and Schuster, 2004
- Zibakalam, S. "To Rule, or Not to Rule? An Alternative Look at the Political Life of Ayatollah Khomeini between 1960 and 1980". *A Critical Introduction to Khomeini,* edited by Arshin Adib-Moghaddam. Cambridge University Press, 2014

飯島健太 いいじま・けんた

一九八四年埼玉県生まれ。二〇〇七年、早稲田大学を卒業後、朝日新聞社に入社。奈良・高松の各総局、大阪社会部で主に事件や災害を取材。二〇一七〜一八年にイギリスのロンドン大学東洋アフリカ学院（ＳＯＡＳ）国際政治学修士課程に在籍し、修了。二〇二〇年四月、テヘラン支局長に就任後、同年一〇月から二〇二三年一月まで同支局に赴任。二〇二三年二月から大阪社会部で事件を中心に取材している。

装　幀　水野哲也（watermark）
写　真　飯島健太
年表写真　朝日新聞社

「悪《あく》の枢軸《すうじく》」イランの正体《しょうたい》

核《かく》・監視《かんし》・強権《きょうけん》——八〇〇日《にち》の現場《げんば》取材《しゅざい》

二〇二四年四月三〇日　第一刷発行

著　者　飯島健太
発行者　宇都宮健太朗
発行所　朝日新聞出版
〒一〇四-八〇一一　東京都中央区築地五-三-二
電話　〇三-五五四一-八八三二（編集）
〇三-五五四〇-七七九三（販売）

印刷製本　大日本印刷株式会社

Published in Japan by Asahi Shimbun Publications Inc.
ISBN 978-4-02-332360-5
定価はカバーに表示してあります。

落丁・乱丁の場合は
弊社業務部（電話〇三-五五四〇-七八〇〇）へご連絡ください。
送料弊社負担にてお取り替えいたします。